Compilado y editado por
RACHEL M. VINCENT

CUANDO LAS MUJERES SE ATREVEN

Art and Literature Mapalé & Publishing Inc.

Copyright © 2017 by Rachel M. Vincent

Cuando las mujeres se atreven

Published by Art and Literature Mapalé & Publishing Inc.
Foreword by Brené Brown

Library and Archives Canada Cataloguing in Publication

When we are bold. Spanish
        Cuando las mujeres se atreven / compiler and editor, Rachel M. Vincent ;
translators, Clara Alfaro and Andres Alfaro.

Translation of: When we are bold.
ISBN 978-1-988691-02-2 (hardcover).--ISBN 978-1-988691-01-5
(softcover)

        1. Women--Biography. 2. Women political activists--Biography.
3. Feminists--Biography. 4. Mothers--Biography. I. Vincent, Rachel M.,
editor II. Title.

CT3202.W5418 2017   920.72   C2017-901377-7

www.editorialmapale.com

INDICE

PREFACIO

Por Brené Brown

Coraje es una palabra del corazón. La raíz de la palabra *coraje* es *cor* —que en latín significa corazón. En una de sus primeras formas, *coraje* significaba 'hablar lo que la mente piensa desde el corazón'. En el mundo de hoy saturado por los medios, nuestra definición de coraje ha cambiado hacia los actos supuestamente heroicos que generan *rating*, llevándonos a perder de vista lo que significa ser verdaderamente valientes con nuestra voz, nuestras historias y nuestra verdad. *Cuando las mujeres se atreven* no es solamente una celebración de mujeres constructoras de paz y de las activistas que han inspirado, es también un llamado a ser valientes. Un llamado a todas nosotras que hemos permitido que el activismo se defina como algo que hacen otras personas, a aquellos de nosotros que hemos dejado huérfanas nuestra voz y nuestra historia, y a toda mujer y hombre que ha luchado o que ha sido testigo de injusticias que han dejado sus corazones inundados con verdad e historias que necesitan ser contadas.

Gran parte de la violencia y de la retórica política inconcebible que vemos y oímos hoy en día es acerca del *poder-sobre* — individuos y grupos librando una última batalla, en parte, para mantener o recuperar el poder sobre los cuerpos, mentes, y el futuro de mujeres y niñas. Por definición, estas batallas son violentas y se alimentan del miedo, la vergüenza y la desesperación. Pero como esta colección de ensayos ilustra, nuestros antepasados han forjado un cambio innegable, hacia una visión de poder que es compartida, infinita y justa. Mientras leía estos ensayos era claro que sus enfoques para la pacificación y la justicia desafiaban la categorización. Estas mujeres nos han enseñado y continúan mostrándonos que no hay un solo camino para demandar y compartir el poder, sino muchas maneras de ser fieles a quienes somos, cómo nos presentamos y en qué creemos mientras unimos fuerzas para el cambio.

Tuve el gran honor de dictar un curso de justicia global en la *University of Houston Graduate College of Social Work*, con la ganadora del Premio Nobel de la Paz Jody Williams. En mis cinco años de co-enseñanza con Jody, y en mi trabajo como tutora de activistas y organizadoras, he aprendido que la barrera más grande para comprometerse es la creencia de que existe solo una manera de cambiar y solamente un modelo de activismo. Nuestra tarea no es definir activismo de una manera rígida sino hacer espacio en la mesa para varios métodos, varias maneras de abordar y varias voces. *Cuando las mujeres se atreven* nos muestra el poder de esa mesa de bienvenida.

En su ensayo sobre Nawal El Saadawi, Rana Husseini comparte una cita de la novela de El Saadawi, *Woman at Point Zero*, que captura de una hermosa manera la profundidad inherente de contar la verdad. En la novela, las autoridades le dicen a una mujer 'Usted es una mujer salvaje y peligrosa' y la mujer contesta 'Estoy diciendo la verdad. Y la verdad es salvaje y peligrosa'.

Coraje es una palabra del corazón pero no debemos confundir la visión suave y romántica del corazón con el rasposo músculo latiendo que es el alma del activismo y de la pacificación. Nuestro llamado al coraje es encontrar nuestras voces, hablar desde nuestros corazones, y luchar por el derecho y el espacio para todas las mujeres y niñas de hacer lo mismo. Y, como Maggie Kahn escribió, 'Ponte de pie ante la gente que temes y habla, incluso si tu voz tiembla'. Eso es lo que significa ser valiente.

INTRODUCCIÓN

Por Rachel M. Vincent

"Hermanas, es hora de ponerse de pie y hacer algunas de las cosas más inimaginables. Nosotras tenemos el poder de enderezar nuestro mundo que está al revés" – Leymah Gbowee

Cuando tenía diez años era una lectora ávida y me encantaban particularmente las biografías. Recuerdo vívidamente la lectura de biografías cortas para niños de Florence Nightingale —la enfermera que fue pionera en el uso de la asepsia en el campo de batalla y salvó innumerables vidas en la línea de frente durante la Guerra de Crimea— y biografías de Sojourner Truth y Harriet Tubman, dos afro-americanas que hicieron valientemente su camino desde el sur hacia el norte para escapar de la esclavitud. Harriet Tubman viajaba principalmente durante la noche, y usaba como orientación el musgo —que crece al lado del árbol que recibe menos luz, es decir el lado norte—, para llevarla a la libertad. Hasta el día de hoy, cuando camino en el bosque, me encuentro mirando de qué lado del árbol está creciendo el musgo.

Tal vez no es sorprendente entonces que a medida que crecía, buscara libros escritos por mujeres y acerca de ellas. En mi turbulenta adolescencia y en mis veintes, fueron las vidas y experiencias de mujeres a las que nunca había conocido — escritoras como Harper Lee, Sylvia Plath, Maya Angelou, Nawal El Saadawi, Gloria Naylor, Julia Alvarez y Arundhati Roy— las que me ayudaron a sentirme menos sola en este mundo. Su sabiduría colectiva me señaló un nuevo tipo de norte, una libertad interior. Ellas me enseñaron que hay muchas maneras de ser mujer y que el miedo es normal, como lo es también no aceptar las cosas como son.

En 1983, cuando tenía 18 años, mi madre me dio un ejemplar del libro de Carol Gilligan, *In a Different Voice*. En este libro se postuló la teoría innovadora en ese momento, de que las mujeres y los hombres tienen diferentes enfoques sobre la moralidad. El trabajo de Gilligan ha sido revaluado, pero la idea central de que las mujeres y los hombres tienen diferentes "voces" y maneras de ser se ha quedado conmigo, y en mayor o menor medida, ha moldeado mi vida.

Treinta años después, trabajo con seis mujeres Premio Nobel de la Paz en la Iniciativa de Mujeres Nobel. La líder de la Iniciativa, Liz Bernstein, comparte no solo una pasión por el feminismo y la paz, sino también un profundo amor por los escritos de mujeres y las historias acerca de ellas. En diversos viajes, como parte de delegaciones de derechos humanos, a países como Sudán del Sur, Honduras, India y la República Democrática del Congo, Liz y yo conversamos acerca de los libros que amamos. De vuelta a casa en Ottawa, ejemplares de libros de sus escritores favoritos —con algunos de los cuales ha tenido correspondencia por años— llegan a mi escritorio.

Esta colección de perfiles íntimos sobre mujeres extraordinarias escritos por otras mujeres igualmente extraordinarias es el resultado de muchas de estas relaciones. La galardonada escritora Alexandra Fuller aceptó gentilmente escribir un perfil de la reconocida ecologista y líder de derechos humanos Wangari Maathai porque ella y Liz ya habían tenido largas conversaciones a la distancia sobre África, donde Fuller creció y donde Liz trabajó en la Campaña internacional para prohibir las minas terrestres. Cuando Liz se trasladó a Canadá, buscó el trabajo de escritoras canadienses, entre ellas el de la talentosa Madeleine Thien, que en esta colección escribe sobre la activista china Ding Zilin.

No es sorprendente, entonces, que algunas de las historias y mujeres en este libro estén interconectadas. La activista por la paz y filántropa Cora Weiss, perfilada en este libro por la activista iraní-británica de derechos humanos Sanam Naraghi Anderlini, fue también mentora de Jody Williams, Premio Nobel de Paz. Y una organización que Cora dirigió, la *African American Students Foundation*, llevó a la joven Wangari Maathai a Estados Unidos con una beca universitaria a principios de los sesenta, cuarenta años antes de que Maathai ganara el Premio Nobel de la Paz en el 2004.

Algunas de las mujeres que encontramos en estas páginas dejan claro lo que es ser feminista. La erudita escritora Valerie M. Hudson explora cómo el icono feminista Gloria Steinem ha estado trabajando por una política exterior basada en un enfoque feminista de la paz. La escritora iraní-americana Azadeh Moaveni describe de modo convincente cómo la vida de la defensora de los derechos humanos iraní Shirin Ebadi demuestra que no hay contradicción entre ser a la vez feminista y musulmana. Otras historias de esta colección tratan de redescubrir nuestro pasado. La memoria de Charlotte Mannya Maxeke, conocida como la "madre de la libertad negra" en Sudáfrica, estuvo casi perdida hasta que Zubeida Jaffer y otros activistas anti-apartheid recuperaron su historia.

Varios de estos relatos se centran en la relación madre-hija o cómo las madres crearon movimientos para terminar con la violencia. La activista y actriz nativa americana Casey Camp-Horinek nos presenta amorosamente a su madre, Jewell Faye McDonald, quien se negó rotundamente a someterse a la cultura blanca dominante. La periodista canadiense Nahlah Ayed comparte la historia de la activista francesa Latifa Ibn Ziaten, que convirtió la pérdida de su hijo en una poderosa herramienta para ayudar a los jóvenes a alejarse del extremismo.

Algunas historias son profundamente desgarradoras. Es el caso de la activista hondureña Berta Cáceres, asesinada brutalmente en marzo de 2016, recibe por parte de su hija Laura Zúñiga Cáceres, un sentido homenaje. Esta colección se adentra en las vidas de otras activistas que han muerto en los últimos años, entre ellas Natalya Estemirova, quien fue perseguida por su incansable labor de denuncia de abusos contra los derechos humanos en Chechenia. La premiada periodista rusa Anna Nemtsova dice que su trabajo es un esfuerzo por honrar a Natalya, "la mujer más valiente que jamás haya conocido".

Estas historias ponen de relieve no solo los peligros que implican ser una mujer que se atreve a vivir con valentía, sino que también demuestran cómo su visión para cambiar el mundo vive a través de otras mujeres.

Anteriormente describí a las mujeres en este libro como "extraordinarias". En la raíz de esa palabra esta lo "ordinario". Tanto las mujeres que escriben como las mujeres que las inspiran son como las mujeres que conocemos. Ellas son nuestra madre, hermanas, tías; son mujeres en todas las comunidades de este planeta haciendo el trabajo duro, a veces peligroso, y a menudo solitario, de desafiar el *status quo* respondiendo a la violencia y la injusticia en sus muchas formas.

Espero que todo aquel que lea este libro vislumbre algo de sí mismo en las historias de estas mujeres. Tal vez algunas de ellas sean una inspiración para seguir con audacia el norte metafórico que indica el musgo en los árboles…

ESCRITORAS

Louise W. Knight
Zubeida Jaffer
Casey Camp-Horinek
Julia Alvarez
Monia Mazigh
Rana Husseini
Elizabeth Abbott
Kathy Kelly
Sanam Naraghi Anderlini
Alexandra Fuller
Bopha Phorn
Valerie M. Hudson
Doreen Baingana
Marilyn Waring
Robi Damelin
Pamela Yates
Madeleine Thien
Audrey Wells
Lydia Cacho
Anna Nemtsova
Danai Gurira
Fiona Lloyd-Davies
Azadeh Moaveni
Laura Zúñiga Cáceres
Cindy Blackstock
Hooria Mashhour
Nahlah Ayed
Aja Monet

JANE ADDAMS

Nacida en 1860, Jane Addams fue una activista por la paz, sufragista y una defensora de los derechos laborales, los derechos civiles y la libertad de expresión. En 1919 fundó la Liga Internacional de Mujeres por la Paz y la Libertad, un movimiento de mujeres para convencer a las potencias mundiales de desarmarse y concertar acuerdos de paz. También co-fundó *Hull House*, la primera casa de asentamiento en Estados Unidos, que proporcionó a pobres e inmigrantes, programas sociales, educativos y artísticos. En 1931 se convirtió en la primera mujer estadounidense en ganar el Premio Nobel de la Paz.

UNA VERDADERA PIONERA

Por Louise W. Knight

Tuve conocimiento de Jane Addams en un curso universitario, cuando me asignaron la lectura de su semi-memoria clásica, *Twenty Years at Hull House*. Ese año estaba viviendo en el ático de una casa, en una habitación escondida bajo el alero. Sentada en mi cama —un colchón en el suelo— con la lluvia que tamborileaba en el techo sobre mi cabeza, subrayé pasaje tras pasaje, fascinada por su sabiduría y su voz premonitoria. ¿Quién era esa mujer?

Con el tiempo aprendería muchísimo sobre Jane Addams. Mi educación sobre su vida comenzó poco después de que me gradué, cuando leí una nueva biografía. La interpretación de lo que la impulsaba me parecía equivocada. En un momento de frustración me encontré a mí misma pensando, con demasiada autoconfianza, que ¡incluso yo podría escribir un libro mejor que ese! Esa semilla de impaciencia se convirtió en mi primer libro *Citizen: Jane Addams and the Struggle for Democracy*, publicado décadas más tarde. Mi libro capturaba su trayecto de una infancia privilegiada en el norte de Illinois a una vida que ella eligió, entre gente trabajadora en un vecindario industrial de Chicago, luego rastreé su crecimiento moral de una filántropa con buenas intenciones pero ingenua, en una activista experta, luchando por los derechos laborales de los trabajadores, los derechos de inmigración, el voto de las mujeres y la paz.

Mi libro termina en 1899, cuando ella tenía 39 años y estaba en la cúspide de lo que se convertiría en un profundo y amplio compromiso con el trabajo de paz. Retomé su vida en mi segundo libro *Jane Addams: Spirit in Action*, que fue la primera biografía completa de Addams publicada desde la que había leído tres décadas antes. Este volumen abarcó tanto sus primeros años como la historia de su aparición como líder en el movimiento progresista estadounidense y el movimiento por la paz mundial, logros que la llevaron a convertirse en la primera mujer estadounidense y la segunda mujer en recibir el Premio Nobel de la Paz.

Yo sabía muy poco sobre el movimiento pacifista cuando empecé a escribir el libro. Aunque estaba en la universidad durante las campañas en el campus contra la guerra de Vietnam y el reclutamiento, era una observadora, no una activista. Cuando asistía a las manifestaciones contra la guerra, me hacía en la parte de atrás, escuchando como los hombres jóvenes criticaban al gobierno por luchar en una guerra sin sentido. Estaban indignados. Su furia me hizo sentir a mí, una joven de clase media alta que había sido educada con una cortesía excesiva, incómoda.

Otra razón por la que no entendía los mítines era mi género. Me di cuenta, por supuesto, que mis compañeros de estudio hombres estaban, a diferencia mía, obligados a inscribirse en el reclutamiento cuando cumplían 18 años y que, una vez que salían de la universidad, podrían ser reclutados en el ejército por una rifa periódica del gobierno. Pero no comprendí lo atrapados que se sentían cuando enfrentaban la posibilidad de que el gobierno los obligara a luchar o a convertirse en desertores y tener que huir del país. No pude ponerme en sus zapatos.

En cuanto a la guerra en sí misma, no tenía ideas claras sobre el tema. Por un lado, no me gustaba la guerra porque era violenta y todo el tema de la muerte. Por otro lado, me costaba desconfiar de los militares, ya que mi padre, tan guapo en su uniforme, había sido capitán de la marina y había servido en la Segunda Guerra Mundial y en la Guerra de Corea.

Adquirí una nueva perspectiva sobre la guerra estudiando a Addams. A sus veinte años, su principal interés no eran las relaciones internacionales, sino las relaciones interpersonales. Incómoda con la ira —¡aquí un vínculo que compartíamos!— se sentía atraída por la idea cristiana de la no resistencia: la idea de que, sin importar cómo lo trataran, uno debería evitar responder con la fuerza. A pesar de que fue criada como cristiana y conocía bien la Biblia, el libro *Mi Religión* de Leo Tolstoi la convirtió en una "no-resistente" o, como se llamaba a sus seguidores —porque inspiró a una generación de no-resistentes— una tolstoiana. Tolstoi escribió que Cristo enseñó "nunca hacer nada contrario a la ley del amor".[1] Inspirada por esta visión inquebrantable, Addams la adoptó como suya. Buscó ser afectuosa en todas sus relaciones y aprendió a controlar su fuerte temperamento. En años posteriores, se hizo famosa por su persona imperturbable y amorosa, pero nadie debe dudar de que fuera duramente ganado.

Sin embargo, Addams era lo que podríamos llamar una no resistente "interpersonal" hasta que, en 1898, Estados Unidos entró en guerra con España por Cuba y Filipinas. Sorprendida de que su país estuviera en guerra, Addams escribió a un amigo: "Voy a tener que convertirme más en una tolstoiana o menos de derecha". Para evitar un dilema moral, se hundió en su alma y, a la edad de 39 años, se pronunció contra la guerra. Llamando a la paz una "marea creciente de sentimientos morales", instó a

---

[1] Louise W. Knight, *Jane Addams: Spirit in Action* (New York: W. W. Norton, 2010), 54.

que "se engullera todo orgullo de conquista e hiciera la guerra imposible".[2]

A principios del siglo XX, Addams se involucró en el movimiento nacional por la paz y sus congresos anuales. Estos eran sobre todo asuntos de hombres, quienes estaban seguros de que las naciones de Europa y América del Norte estaban demasiado "civilizadas" para participar de nuevo en la estupidez de la guerra. Addams no estaba tan segura.

En un libro que publicó en 1907 titulado *Newer Ideals of Peace*, expresó su esperanza de que la guerra fuera una fuerza internacional cada vez más menguada ante la propagación de la democracia, pero también examinó cómo el militarismo permeaba todos los aspectos de la sociedad estadounidense. Para ella, el significado de la palabra incluía estar dispuesto a usar la fuerza física, pero también una creencia en jerarquías. El militarismo desconfiaba del pueblo; veía enemigos por todas partes, ya fuera en el extranjero o a la vuelta de la esquina; basando el patriotismo de una nación en la guerra; despreciando a los inmigrantes; abrazando un "espíritu comercial sin restricciones"; y desconfiando de las mujeres. Y ella definió el significado de la paz no solo como la ausencia de guerra sino como aquello que hace posible la diseminación de la democracia: "el despliegue de los procesos mundiales que sostienen la vida humana".[3]

Al leer *Newer Ideals*, descubrí que Addams, en su manera revolucionaria silenciosa, me estaba enseñando, como a muchos otros, a pensar en el militarismo de manera diferente, a verlo como la peligrosa y antidemocrática suposición cultural de que los fuertes *deben* dominar a los débiles.

Cuando Europa entró en guerra en 1914, Addams volvió a enfrentarse a un dilema moral. Después de realizar

---

[2] Louise W. Knight, *Citizen: Jane Addams and the Struggle for Democracy* (Chicago: University of Chicago Press, 2005), 95.

[3] Knight, Spirit, 137, 139.

organizaciones de base en forma eficaz, fue elegida presidente del recién conformado *Woman's Peace Party* de Estados Unidos. Encabezó la delegación en la reunión en La Haya, que dio origen al *International Committee of Women for Permanent Peace* más tarde renombrada *Women's International League for Peace and Freedom*. Su plataforma instó a la mediación de las disputas internacionales y llamó a las mujeres a participar en los debates y decisiones sobre la guerra y la paz. El comité envió una delegación que incluyó a Addams para reunirse con los funcionarios de las naciones en guerra y los instó a negociar. Addams sabía que tenían "una oportunidad en diez mil" de tener éxito. Pero tratar era lo que importaba. Como dijo al comité, "el avance social debe ser impulsado por la voluntad humana y el entendimiento unidos para fines conscientes".[4]

De regreso a casa, al principio Addams estaba optimista, confiando en el buen juicio de la gente cuando se le daban los hechos. Ella y otros en el *Woman's Peace Party* se dispusieron a educar a los estadounidenses sobre el militarismo a través de una campaña masiva de discursos, reuniones y editoriales. Pero el estado de ánimo de la nación cambió en 1917, una vez que el presidente Wilson llevó a la nación a la guerra y lanzó una poderosa campaña de propaganda para despertar el apoyo. Después de que Addams pronunció un discurso en el que defendió el patriotismo de los pacifistas, fue atacada en editoriales de periódicos por todo el país como traidora, fue abucheada en público y luego excluida de las salas de conferencias. Se hundió en la desesperación. Sintiéndose aislada de sus conciudadanos, dudaba de sí misma. ¿Estaba equivocada en su postura? Al final, concluyó que la propaganda había socavado el juicio del pueblo y que tenía que ser fiel a su conciencia. Escribió: "La lealtad primaria de un hombre es a su visión de la verdad y... él está bajo la obligación de afirmarlo".[5]

---

[4] Knight, Spirit, 201, 202. [or Ibid., 201, 202.]

[5] Knight, Spirit, 220. [or Ibid., 220.]

Hoy en día, sé lo que me atrajo de Jane Addams. Fue su coraje moral. A los veinte años, transformó su cómoda pero limitada vida en una carrera de intenso trabajo que enseñaba lecciones difíciles. Más tarde se convirtió en líder mundial en la tarea casi imposible, pero esencial, de trabajar por la paz. Y al recorrer su vida, aprendí por qué la paz importa —porque constituye la condición de libertad que nutre el crecimiento del espíritu humano. Finalmente, al estudiar a Addams, encontré la forma que quería que tomara mi propio activismo: soy una biógrafa comprometida a traer a los lectores de hoy las historias de los moralmente valientes que ya no están vivos pero de los que podemos aprender. Mi esperanza es que algún día, alguien lea las primeras páginas de un libro que escribí, tal vez debajo de un techo de ático vibrando con los sonidos de la lluvia, y piense, "¿Quién era esta mujer?" Y continúe la lectura.

LOUISE W. KNIGHT es una historiadora estadounidense y autora de dos libros sobre la vida de Jane Addams: *Citizen: Jane Addams and the Struggle for Democracy* y *Jane Addams: Spirit in Action*. Actualmente está escribiendo un libro sobre las hermanas Grimké, dos abolicionistas estadounidenses y activistas de los derechos de las mujeres de la década de 1830.

CHARLOTTE MANNYA MAXEKE

Charlotte Mannya Maxeke se convirtió en la primera mujer negra sudafricana en obtener un título universitario, esto fue en 1901, y fue conocida como la "Madre de la Libertad Negra" en su país. Una talentosa cantante, se presentó en toda Gran Bretaña y Norteamérica con un coro, y completó su licenciatura en Ciencias en la Universidad Wilberforce en Ohio. A su regreso a Sudáfrica, se convirtió en una activista social, luchando por los derechos de las mujeres y los negros surafricanos, en particular el derecho a la educación.

MADRE DE LA LIBERTAD NEGRA

Por Zubeida Jaffer

Al igual que muchos negros sudafricanos, crecí sin un sentido de mi historia. Cuando era estudiante en la década de 1970, era ilegal tan solo decir el nombre de Nelson Mandela. Muchos negros sudafricanos importantes del siglo XX fueron removidos de la historia "oficial", sus historias borradas y olvidadas. Charlotte Mannya Maxeke fue una de estas figuras. Muy influyente en los primeros movimientos feministas, Charlotte luchó para liberar a los negros sudafricanos de las injusticias de la dominación colonial durante el cambio de siglo y trabajó para proporcionar un nivel básico de educación para todos. Sin embargo, hasta hace cuatro años, yo solo había oído su nombre vagamente.

En 2012, el vicerrector de *University of the Free State,* donde soy escritora residente, me preguntó si estaría interesada en investigar y escribir la historia de Charlotte. El vicerrector estaba fascinado con ella porque era la primera mujer negra sudafricana que se graduó de la universidad —en 1901 para ser precisos— en una época en que no solo se le había negado el ingreso a cualquier universidad en su país de nacimiento, y cuando solo un puñado de mujeres blancas fueron aceptadas para estudiar en Estados

Unidos. Cuando el vicerrector se me acercó, Sudáfrica ya estaba profundamente involucrada en un movimiento para recuperar su auténtica historia. Charlotte —que ya tenía un submarino y un hospital que llevan su nombre— era claramente una de esas historias, pero el público solo la conocía superficialmente. En gran parte desconocían el verdadero alcance y significado de su activismo. Acepté la oportunidad de escribir sobre ella, sin sospechar que tendría una influencia tan profunda en mi propia vida.

La historia de Charlotte comienza con su hermosa voz de cantante, un instrumento que le abrió camino a través de los mares y la ayudó a convertirse en la primera mujer negra graduada de Sudáfrica. El canto era parte de su vida familiar y cuando asistió a la escuela secundaria en Port Elizabeth en la década de 1880, ya sobresalía en competiciones de coro escolar. Después de graduarse, Charlotte siguió cantando en las funciones de la iglesia mientras trabajaba como maestra en Kimberley. La ciudad estaba en el corazón de las emergentes minas de diamantes del país, que fueron explotadas en beneficio de los colonialistas británicos. Este fue el período en el que se produjeron los gérmenes de la ideología racial, precursora del *apartheid*. Charlotte, con su círculo intelectual, desempeñó un papel importante en la resistencia al creciente racismo, injusticia y desigualdad, aunque su trabajo sería olvidado durante décadas.

Amó los libros desde temprana edad, una pasión legada por sus padres. También reconoció la importancia de la educación como un gran ecualizador social. Incluso cuando era una niña, le preocupaba mucho que la mayoría de la gente de la aldea de su padre no pudiera leer, y decidió educarse para poder enseñarles algún día. Charlotte soñaba con la educación superior después de la escuela secundaria, pero la universidad en Sudáfrica no era una opción para una mujer negra a finales del siglo XIX. No fue hasta que un grupo musical estadounidense llamado

Virginia Jubilee Singers llegó a las costas de Sudáfrica, tomando Kimberley por asalto, que los sueños de Charlotte acerca de la educación superior se cristalizaron.

Los miembros de *Jubilee Singers* le hicieron saber que los negros en Estados Unidos estaban luchando por sus derechos y que habían iniciado universidades donde podían dar forma a su propio destino. La noticia la hizo más decidida que nunca a continuar su educación. Inspirada por el grupo de Virginia, Charlotte y sus amigos de la iglesia comenzaron su propio coro, y finalmente fueron invitados a Estados Unidos y a Gran Bretaña a hacer una gira, actuando una vez incluso para la reina Victoria. Los viajes de Charlotte al extranjero le abrieron los ojos. En Gran Bretaña conoció a mujeres de color con carreras profesionales y se dio cuenta de que esa vida también debería ser posible para ella y para otras mujeres negras. "Déjennos estar en África, así como estamos en Inglaterra", escribió para la prestigiosa revista de Londres *Review of Reviews*, cuando tenía 22 años y estaba de gira allí. "Aquí somos tratados como hombres y mujeres. Allá no somos más que ganado. Pero en África, como en Inglaterra, somos humanos. ¿No puedes hacer que tu gente en el Cabo sea tan amable y tan justa como tu gente aquí?".

Mientras actuaba en Estados Unidos, Charlotte logró ingresar a la *Wilberforce University,* en Ohio, donde completó su licenciatura en ciencias. En un momento en que la opresión a las personas de color fue institucionalizada tanto en Estados Unidos como en su país natal, fue una hazaña verdaderamente notable lograrlo. Su tiempo en Wilberforce fue transformador. Estudió con y bajo la supervisión de una serie de eminentes afroamericanos —como el escritor W.E.B. Du Bois— quien también participó en los movimientos negros de protesta en Estados Unidos. Inspirada por la lucha en ese país, Charlotte regresó a Sudáfrica para usar algunas de las ideas a las que había estado expuesta para combatir injusticias en su propio país.

Regresó a casa durante la guerra Anglo-Boer. Su familia se había mudado de Kimberley al lugar de nacimiento de su padre, Ramokgopa, y allí se reunió con ellos. Tomó un trabajo en una organización de mujeres dentro de su iglesia, la Iglesia Metodista Episcopal Africana, que ella había introducido en Sudáfrica. Al igual que en Estados Unidos, esta iglesia desempeñó un papel importante en la lucha contra la opresión. El papel fundamental de Charlotte en el establecimiento de esta iglesia en su patria proporcionó una base importante para trabajos posteriores para mejorar las relaciones sociales y de género.

Estaba decidida a construir escuelas y fortalecer la educación de todos los negros sudafricanos. También participó en la oposición al trato desigual de las mujeres en la sociedad sudafricana. Fue la única mujer en un círculo de hombres altamente educados que estaban principalmente interesados en luchar contra las injusticias del colonialismo, y se hizo oír tanto dentro como fuera de este grupo. A menudo fue invitada a debatir públicamente sobre asuntos sociales, incluidos los derechos de las mujeres, la educación o los derechos de los trabajadores. Durante un discurso público en 1912, por ejemplo, instó al Sindicato de Trabajadores a permitir que las mujeres se convirtieran en miembros de pleno derecho y se les concediera igual salario.

Su activismo trascendió las barreras de color y género. En 1921 fue invitada a hablar con una organización que abogaba por el derecho al voto de las mujeres blancas. En 1912, Charlotte había sido la única mujer presente en el lanzamiento del Congreso Nacional Africano —las mujeres no podían ser miembros votantes en el Congreso Nacional Africano hasta 1945. Ella ejerció una influencia mayor haciéndose presidente, en 1918, de la *Bantu Women's League*, un precursor de la *ANC Women's League* y una organización que mantuvo gran influencia en políticos y legisladores. Mientras Charlotte era presidenta, la *Bantu League* lideró la campaña para oponerse a las "Leyes de paso", que restringían severamente el libre movimiento de sudafricanos negros dentro de su propio país.

A lo largo de su carrera, la educación siguió siendo un interés primordial. En 1908, ayudó a fundar una escuela para los sudafricanos negros cerca de Johannesburgo, llamada *Wilberforce Institute for the African Methodist Episcopal Church*. Cerca del final de su vida en 1939, esta escuela, junto con muchos otros esfuerzos para fortalecer la educación para los negros sudafricanos, fue abandonada por los gobiernos minoritarios de la época. Después de asegurar el fin del *apartheid* en 1994, el gobierno democrático y la Iglesia AME resucitaron la escuela, que ahora es administrada enteramente por negros sudafricanos y afroamericanos. Es fascinante: al reabrir su escuela y redescubrir nuestra historia a través de figuras como Charlotte, volvemos a las ideas que defendió hace tantos años. Como sudafricanos negros, no podemos depositar la confianza en la ayuda exterior, sino que debemos moldear nuestras propias vidas, contar nuestras propias historias y construir nuestras propias instituciones.

Cada vez más, mientras investigaba la vida de Charlotte, su increíble autoconfianza influyó en mi propia perspectiva. Por ese tiempo, también me di cuenta de que mi formación como periodista estaba esencialmente fundamentada por puntos de vista británicos, americanos y holandeses. Los periodistas "héroes" que me habían enseñado a venerar eran extranjeros y hombres. Había tenido una educación colonial y estaba harta de ello: quería mis propias heroínas.

Charlotte llegó en el momento perfecto. Su historia y sus ideas me convencieron de que debemos crear nuestras propias instituciones. Modelarnos a nosotros mismos copiando sistemas extranjeros e inspirarnos en figuras extranjeras, como lo hemos hecho durante los últimos 20 años, no ha funcionado. Actualmente, un vibrante movimiento dirigido por estudiantes y otras organizaciones sociales, busca hacer precisamente esto. El trabajo y las ideas de Charlotte, eliminadas de nuestra historia de una manera vergonzosa, son de nuevo un modelo inspirador para nosotros.

El ejemplo de Charlotte me impulsó a escribir un libro sobre su vida, publicado a principios de 2016. Su historia no podría surgir en un momento más significativo para Sudáfrica. El año 2016 marca el 60 aniversario de la marcha de las mujeres que tuvo lugar el 9 de agosto de 1956, cuando más de 20.000 mujeres marcharon a los *Union Buildings* en Pretoria para entregar al Primer Ministro la petición en contra de las Leyes de Paso. Ese año también se conmemoró el 40 aniversario del levantamiento estudiantil del 16 de junio de 1976, en Soweto, cuando estudiantes de secundaria protestaron por la introducción del Afrikaans como el idioma principal en los colegios. También es el 20 aniversario de la dramática *Truth and Reconciliation Commission,* donde los sudafricanos compartieron algunas de sus traumáticas experiencias del *apartheid.*

Charlotte y sus contemporáneos reformadores hicieron esfuerzos monumentales para sentar las bases para la educación y la consolidación de la paz en todos los niveles. Si a Charlotte y su círculo se les hubiera permitido la libertad de seguir su camino reformador, hoy en día no necesitaríamos gastar tanta energía y talento desentrañando años de exclusión y separación. Tengamos el coraje de seguir su ejemplo para romper barreras y reparar nuestro tejido social.

ZUBEIDA JAFFER es una premiada escritora y periodista sudafricana y activa en los movimientos anti-apartheid y sindicales, y ha estado a la vanguardia de la acción para asegurar que las voces más diversas sean incluidas en el periodismo sudafricano. Su más reciente libro, *Beauty of the Heart*, detalla la vida y el trabajo de Charlotte Mannya Maxeke.

JEWELL FAYE MCDONALD

Jewell Faye McDonald tenía seis años cuando fue alejada de su familia Ponca y enviada al *Bureau of Indian Affairs Boarding School* en Oklahoma. Cuando regresó a su comunidad, ya adolescente, fue reintroducida en las costumbres, conocimientos y tradiciones de su pueblo, los cuales transmitió a sus seis hijos, algunos de los cuales son hoy prominentes activistas de derechos indígenas y del medio ambiente.

ELLA ELIGIÓ CAMINAR EL CAMINO ROJO

Por Casey Camp-Horinek

La tierra roja y polvorienta, caliente y limosa, se adhería a sus caras sudorosas como una pintura ceremonial sagrada. 'En el interior del carro, los cuatro niños temían incluso llorar. Cuando la puerta del carro se cerró de golpe, de la misma manera también lo hizo la puerta del mundo que siempre habían conocido.

Jewell Faye McDonald tenía seis años cuando fue secuestrada y llevada a cientos de kilómetros a un *Bureau of Indian Affairs boarding school*. La vida nunca sería la misma para ella ni para los otros niños Ponca quienes fueron obligados a dejar a sus padres y familiares en duelo.

Ir de White Eagle a Cantoma en Oklahoma fue solo un viaje de cinco horas ese día de agosto en 1920, pero bien podría haber sido un viaje a Marte. Aquellos blancos extrañamente vestidos, que los mantenían cautivos, ni siquiera podían comunicarse con ellos, y realmente parecían haber llegado de otro planeta. ¿Cómo podrían los niños saber cómo prepararse para ese extraño mundo al que iban a entrar? Un mundo moldeado a la imagen de una escuela militar estadounidense: uniformes, cortes de cabello, zapatos duros que rara vez tenían la talla adecuada. Despertando en las literas de los dormitorios al llamado de la corneta y marchando a la cafetería para comer una comida que los enfermaba. Nadie hablaba su idioma, nadie se preocupaba si lloraban, o incluso si morían.

A pesar de que fueron maltratados emocional, psicológica, cultural y físicamente, se apoyaron entre ellos y en las bellas enseñanzas de su Pueblo Ponca. Resistieron.

El nombre verdadero de Jewell era Mathethacha, y era mi madre. Nacida de Te-son monthe y Mazhugashon en un día frío, cuando los gansos volaban hacia el norte, era una de las más pequeñas de diez niños amados, y solo una de los cuatro que llegaron a adultos.

El padre de Mathethacha tenía tan solo ocho años cuando pasó el "sendero de lágrimas" de Ponca. El gobierno de Estados Unidos obligó a los Ponca a trasladarse de Nebraska a Oklahoma en 1877, un arduo viaje a pie. El padre de Mathethacha fue uno de los 537 sobrevivientes de la caminata al nuevo territorio al año siguiente, a través de lo que ellos llamaron el "país caliente".

Mathethacha se crió dentro del sistema de valores de las "viejas maneras". Su familia le contó cuando Waconda bajó a través de las nubes del Trueno y pasó la Pipa Sagrada al Pueblo de Ponca. Junto con la Pipa vinieron instrucciones sobre qué ceremonias atesorar. Le enseñaron que el agua es vida y que la vida es agua. Que honrar a la Tierra y a todos los seres vivos es honrarse a sí mismo. Ella sabía de la tienda del sudor, la llegada de los años y las ceremonias de nombramiento. Se le enseñó cuándo plantar el maíz y las oraciones que iban con la siembra de las semillas. Dónde encontrar medicinas y alimentos, cuándo cosechar. Cada día comenzaba y terminaba con una oración. Cada día era un regalo para ser apreciado y utilizado para el beneficio de todos. Se le enseñó a ser agradecida, amable en palabras y hechos, a ser veraz, y a cuidar de los demás.

El entrenamiento cuidadoso de la mente, cuerpo y espíritu

de Mathethacha se rompió abruptamente el día en que fue arrancada de la estructura Ponca.

"El internado nos hizo esquizofrénicos", me dijo un día. Esto fue en sus últimos años, cuando recordaba su vida. "Parecía que querían que fuéramos algo que nunca podríamos ser, no importa lo que hiciéramos. Tratábamos de hablar como ellos, porque por supuesto nos golpeaban si hablábamos en Ponca. Teníamos que vestirnos como ellos, cortar nuestras trenzas y rezar en sus iglesias, como si Waconda no fuera lo suficientemente bueno. Luego nos mandaban de regreso a casa durante tres meses en el verano y nuestra propia gente parecía de alguna manera diferente a nosotros. No encajábamos en ninguna parte ", dijo. "¿Sabes? Nos hizo un poco locos".

Mathethacha permaneció en internados hasta los 15 años. La última fue la Escuela Indígena Chilloco, cerca de la frontera entre Oklahoma y Kansas. Allí Mathethacha sintió que había aguantado todo lo que podía soportar. Después del abuso sufrido desde la edad de seis años, no podía tolerar una agresión injustificada más. Cuando la profesora de historia se acercó por detrás y la golpeó sin ninguna razón con un libro en la cabeza, fue demasiado. Mathethacha se puso de pie (con todo su metro y cincuenta de estatura), le arrebató el pesado libro a la maestra y le golpeó la cabeza en el mismo lugar. Ese mismo día, dejó la escuela y todo lo que representaba, incluida la violencia, para siempre. El camino a casa, de vuelta a los buenos caminos de su Pueblo, fue de 40 kilómetros.

El resto de los años de la adolescencia de Mathethacha fueron muy sanadores. Su familia estaba encantada de tenerla en casa. Aún cuando la vida de la reserva era confinada y —para cualquier estándar moderno, debajo del nivel de pobreza—vivir era bueno. Cultivaron enormes jardines comunitarios. Cuando se acercaba la celebración anual de Ponca al final de cada verano, el pueblo se reunía y compartía todo lo que había cultivado, y lo que quedaba se deshidrataba para el invierno. La caza, la pesca y la artesanía ayudaron a mantenerlos.

Mathethacha aprendió mucho de su mamá, sus tías y sus abuelas. Las viejas maneras eran "solo vida". Observó y participó en rituales de final de la vida y miró, escuchó y bailó durante las ceremonias de las mujeres. La espiritualidad estaba intrincadamente tejida en los acontecimientos cotidianos, desde el más pequeño hasta el más grande. Un pueblo con fuertes tradiciones orales, en donde prestar atención y comprometerse con la memoria eran la norma. Mathethacha creció con las maneras que habían sostenido a su pueblo a través de todas las experiencias posibles.

Cuando Mathethacha tenía 19 años, conoció y se casó con Woodrow Howard Camp, un joven alto e inteligente de Pawhuska, Oklahoma. Él aprendió a hablar Ponca con fluidez y se dio cuenta de las costumbres, las relaciones y los matices culturales de Ponca. Su primera hija nació en 1936. Durante las próximas tres décadas, mis padres tendrían seis hijos, moviéndose de un lugar a otro para trabajar y enfrentando juntos la Gran Depresión y la Segunda Guerra Mundial. También vivieron una nueva reubicación de nuestro Pueblo dirigida por el gobierno de Estados Unidos, de las áreas rurales, donde la gran mayoría de nosotros vivíamos, a áreas urbanas. El gobierno ofreció dinero y capacitación para "asimilar" a los Ponca y a otros pueblos de los Pieles Rojas en las grandes ciudades. Fui la última de sus hijos, nací en Fresno en 1948. Durante 20 años más, la familia buscó trabajo y persiguió sueños hasta que los continuos cambios de vida pasaron factura en su relación, y mis padres se separaron.

Una nueva curva en el círculo de la vida llevó a Mathethacha a casa de White Eagle, Oklahoma, a principios de los 70, con su segundo marido. Pasaban sus días en familia. Se sumergió en la cultura Ponca en todos los sentidos. Se sentía bien al hablar su propio idioma. Escuchar las viejas canciones de Ponca y bailar las danzas de las antiguas mujeres le trajo fuerza y sanación. Después de comenzar un largo viaje de la niñez lejos de su gente en ese carro polvoriento, finalmente estaba en su hogar para siempre.

La fuerza inquebrantable de mi madre frente a todos los

obstáculos me dio fuerza e influenció mi camino en la vida. Ella me inculcó la necesidad de dar voz a las injusticias que encontramos como Pueblos de los Pieles Rojas. Me convertí en actriz para disipar la "imagen de pielroja" creada por los cineastas de Hollywood. Hablé acerca de nuestra cultura en las escuelas públicas para que mis hijos pudieran mantener la cabeza alta durante los cursos de historia falsos y sesgados. A veces, como familia, participábamos en desobediencia civil. A medida que envejecí, empecé a usar el manto de la Matriarca y compartir los mensajes de mis antepasados, al igual que mi madre. Ahora ese mensaje se está compartiendo desde las raíces mismas de mi pueblo hasta llegar a las Naciones Unidas.

Los hijos y nietos de Mathethacha siguieron también la trayectoria guerrera de los ancestros. Su hijo, Carter Camp, dirigió el Movimiento Indígena Americano en los años 70 y encabezó la delegación de Oklahoma a lo largo de la "ruta de los tratados rotos" caravana tipo cross-country en 1972 hasta Washington, D.C. Los hermanos de Carter, Dwain y Craig, se unieron a él en la Ocupación de la Wounded Knee de 1973, cuando aproximadamente 200 Ogala Lakota y seguidores del Movimiento Indígena Americano se apoderaron y ocuparon la ciudad de Wounded Knee, Dakota del Sur, en Pine Ridge Indian Reservation. Esta ciudad fue donde, en 1890, el ejército estadounidense masacró e hirió a cientos de hombres, mujeres y niños Lakotas. En 1973, los hijos de Mathethacha estaban entre los que organizaron una huelga para exigir al gobierno que honrara los tratados incumplidos con los nativos americanos y demandaban renegociaciones. El siguiente capítulo para nuestra familia sería el activismo ambiental.

Como personas que conocen y respetan su conexión con la Madre Tierra, el ambientalismo activo es una progresión natural. Mathethacha había enseñado a sus hijos y nietos que un guerrero tiene la responsabilidad de proteger y defender todo tipo de vida. Las oraciones y acciones de nuestros antepasados hacen posible nuestras vidas, y debemos amar, cuidar y salvaguardarnos unos a otros y a la Tierra para las generaciones futuras.

Nuestra madre hizo su viaje al hogar para estar con sus parientes en el mundo espiritual el 27 de abril de 1999. La extrañamos todos los días, aunque ella nos ha dejado lo que parecen ser mensajes liberados por el tiempo desde el otro lado. Un año después de que mamá hizo su transición, mi familia estaba sentada en nuestro porche trasero. Vivimos a ocho kilómetros de la carretera en un camino de tierra. No hay tráfico, el vecino más cercano está a dos kilómetros de distancia. De repente, vimos una caravana de vehículos entrando en nuestra larga calle. Vehículos de todas las descripciones, incluyendo autobuses y camionetas con decoración fuertemente hippie. Se detuvieron, apagaron sus motores y comenzaron a desplegarse en nuestro patio de cinco acres con sus tiendas de campaña y los demás elementos para acampar. Nos acercamos a ellos totalmente asombrados.

Resultó que estaban haciendo una caravana a través de Estados Unidos para promover LA PAZ EN LA TIERRA, el lema se mostraba en letras brillantes en el lado del autobús más grande. Provenían de todo el mundo: había monjes budistas, frailes, cuáqueros, gente de Dinamarca, México, Alemania, Japón, África, Canadá, Panamá y de muchos lugares de Estados Unidos. Les preguntamos quiénes eran y qué hacían en nuestra casa. El líder del grupo dijo: " Conocimos a tu maravillosa madre el año pasado. Ella nos dio indicaciones y nos dijo que viniéramos y que podíamos estar una semana o más. Dijo que ustedes nos darían de comer y nos darían la bienvenida por el mensaje que llevamos".

Muy bien, mamá. Te escuchamos, alto y claro. Te estamos siguiendo en ese sagrado camino rojo.

CASEY CAMP-HORINEK es un activista por los derechos de los nativos americanos, ecologista y actriz de la Nación Ponca de Oklahoma. Es conocida por su trabajo en películas como *Share the Wealth* (2006) y *Running Deer* (2013).

HERMANAS MIRABAL

Las Mirabal fueron cuatro hermanas de República Dominicana que dirigieron un movimiento de oposición contra la brutal dictadura de Rafael Trujillo a finales de los años cincuenta. El 25 de noviembre de 1960, tres de las cuatro hermanas fueron asesinadas por órdenes de Trujillo. Su muerte provocó indignación en todo el país y finalmente llevó al asesinato de Trujillo. En su honor, Naciones Unidas en 1999 designó el 25 de noviembre como el Día internacional para la eliminación de la violencia contra la mujer.

EL EFECTO MARIPOSA

Por Julia Alvarez

Debo mi vida a Las Mariposas. En cierto sentido, todos somos beneficiarios de su ejemplo. Si no hubiera sido por los latidos de las alas de su activismo, muchos de nosotros no estaríamos volando.

Las Mariposas era el nombre en clave de las hermanas Mirabal, que eran cuatro jóvenes que crecieron en República Dominicana bajo el régimen de Rafael Leonidas Trujillo, una de las dictaduras más sangrientas y duraderas de América. Mientras ocupaban el país en las décadas de 1910 y 1920, los marines estadounidenses entrenaron a Trujillo y lo nombraron jefe del Ejército Nacional, lo que lo pondría en control del país. En su intento por mantener el hemisferio libre del comunismo, Estados Unidos apoyó a Trujillo durante muchos años. Era la vieja política exterior de "Es un bastardo pero es nuestro bastardo", una política que mantuvo muchos regímenes represivos en el poder en todo el sur de América durante décadas.

Las hermanas Mirabal organizaron un movimiento clandestino generalizado para llevar la democracia y la libertad a su país. Se convirtieron en símbolos poderosos, inspirando a muchos ciudadanos descontentos a unirse a la clandestinidad. Esta amenaza a la dictadura no podía ser tolerada. El 25 de noviembre de 1960, tres de las hermanas, junto con el conductor de su jeep, Rufino de la Cruz, fueron emboscados mientras regresaban a casa después de visitar a sus esposos encarcelados. Su asesinato fue el golpe final. El pueblo de República Dominicana, que había vivido en el miedo, soportado la opresión durante 31 años, se levantó y derrocó a la dictadura.

La cuarta hermana, que no estuvo en el viaje fatídico, sobrevivió. Dedé Mirabal continuó criando a sus sobrinos huérfanos y se convirtió en una fuerza para la verdad y la reconciliación después de la dictadura. Fue Dedé quien abrió un museo en memoria de sus hermanas en el hogar familiar; Dedé que contó la historia de su activismo y asesinato, una y otra vez; Dedé que conservó la fe y dio testimonio, enseñando a la gente dividida y rota a perdonar pero nunca olvidar. Durante 54 años después de sus muertes, con energía y fuerza inquebrantable, Dedé Mirabal llevó al país fuera de su sangriento pasado hacia el experimento inacabado de democracia por la que sus hermanas y tantas otras víctimas habían dado sus vidas para alcanzar.

Cuando las hermanas Mirabal fueron asesinadas en 1960, mis padres, tres hermanas y yo recién habíamos llegado a Nueva York. Logramos escapar y salvar nuestras vidas. Antes de nuestra abrupta partida, no sabía que mi padre estaba involucrado en el movimiento clandestino. Cuando varios miembros de su célula clandestina fueron arrestados, mi padre sabía que era solo cuestión de tiempo para que los capturados comenzaran a revelar nombres bajo la tortura brutal de la policía secreta de Trujillo.

Una vez que aprendí su historia, las hermanas Mirabal tenían un fuerte poder en mi imaginación. Eran mis hermanas en la sombra, las que se habían quedado atrás, las que no salieron, las tres que habían pagado con sus vidas. Sabía que tenía una deuda que pagar. Pero aún no sabía cómo hacerlo.

Creciendo en República Dominicana, había sido criada en la forma tradicional de una mujer latinoamericana de los años cincuenta. No se esperaba que las niñas tuvieran mucha educación. Debíamos casarnos jóvenes, criar una familia. La nuestra era principalmente una cultura oral, aún más por la dictadura. Ser un aficionado a la lectura te calificaba como un intelectual peligroso. (Minerva, la más revolucionaria de las hermanas Mirabal, era lectora). Yo era un producto típico de esa crianza: odiaba la escuela; no me gustaba la lectura; tales actividades solitarias eran una forma de castigo para mí. Pero mi familia estaba llena de narradores, asombrosos tejedores de historias que me fascinaban.

Cuando llegamos a Estados Unidos, me encontré de repente despojada, inmersa en un nuevo idioma. Mis hermanas y yo encontramos prejuicios — había matones en el patio de la escuela que nos pusieron apodos y nos dijeron que volviéramos de donde veníamos. Tuve que encontrar una nueva patria, y con la ayuda de mis maestros y bibliotecarios, descubrí los libros y el mundo de la imaginación, donde nadie estaba prohibido. Ya no tenía mi familia de narradores, pero a través de la lectura podía acceder a las historias y, al escribir podía compartir la mía con los demás.

Una de las primeras historias que me sentí obligada a contar fue la de las hermanas Mirabal. En viajes frecuentes a República Dominicana, empecé a investigar sus vidas, y al hacerlo, me reuní y establecí un vínculo especial con Dedé, la hermana sobreviviente. De la misma forma que sus sobrinos huérfanos, la llamé Mamá Dedé. Ella fue la madre de mi alma activista, la musa que inspiró la novela que publiqué en 1994 sobre ella y sus hermanas, *In the Time of the Butterflies*.

La historia de las hermanas Mirabal comenzó a difundirse. En

1999, las Naciones Unidas declararon el 25 de noviembre como Día Internacional para la Eliminación de la Violencia contra la Mujer, en su honor.

¡Mirando hacia atrás, lo que me impresiona es el hecho de que estas mujeres jóvenes, aparentemente impotentes, obviamente vulnerables, se las arreglaron para lograr tanto! No solo desencadenaron un movimiento nacional que finalmente derrocó a un poderoso dictador con su vasta red de policía secreta y el control absoluto de todas las vías de comunicación, sino que más allá de las fronteras de una pequeña nación, sirvieron de inspiración a un movimiento internacional y se convirtieron en símbolo global de libertad para mujeres y hombres.

En su poderoso libro *Hope in the Dark: Untitled Stories, Wild Possibilities,* Rebecca Solnit habla de las sorprendentes y muchas veces indirectas maneras en que sucede el cambio. Ella lo llama "lo indirecto de la acción directa". Hacemos una pequeña cosa, esperando un resultado determinado de inmediato, pero lo que pasa está más allá de lo que imaginamos, y no necesariamente en nuestro reloj. Uno de los ejemplos que Solnit cita es una historia contada por un miembro de la huelga de mujeres por la paz, a principios de los años sesenta un pequeño grupo de madres comprometidas estuvieron entre las primeras activistas contra la guerra de Vietnam. Esta mujer dijo que a menudo se sentía tonta, estando en frente de la Casa Blanca bajo todo tipo de clima, con un máximo de una docena de miembros. Nadie parecía prestarles mucha atención. Se preguntaba en secreto si estaban perdiendo el tiempo. Pero luego, años más tarde, escuchó al Dr. Benjamín Spock, que se había convertido en uno de los activistas más eficaces y de alto perfil contra la guerra, diciendo que el momento decisivo para él fue encontrar a un pequeño grupo de mujeres semana tras semana bajo la nieve, la lluvia, el calor y el frío, protestando en la Casa Blanca. Pensó que si ellas estaban tan apasionadamente comprometidas, él debería darle más importancia al tema.

A menudo, tales cambios profundos comienzan humildemente, bajo el radar, bajo el disfraz de una historia que entra en el torrente sanguíneo de la imaginación y comienza a cambiar la forma en que vemos el mundo. Leyendo o escuchando una historia, experimentamos la vida a través de otro punto de vista; los músculos del entendimiento, que son también los músculos de la empatía y la compasión, se ejercitan y fortalecen.

Cuando tenía 10 años, escuché una historia que me cambió. Tres décadas más tarde lo anoté. Menos de una década después, Naciones Unidas aprobó su resolución. El 25 de noviembre, mujeres y hombres movidos por la historia de mujeres que nunca conocieron, se unen para eliminar la violencia y traer paz y justicia a sus rincones del mundo. En la teoría del caos, "el efecto mariposa" es un término que describe cómo un cambio sutil en las condiciones puede provocar cambios significativos en una etapa posterior de ese sistema. Un latido de ala adicional de una mariposa en Brasil hoy, puede desencadenar un tornado en Texas unos días más tarde. Esto es cierto no solamente con las fuerzas ambientales sino también con la paz. Un pequeño grupo de ciudadanos reflexivos y comprometidos puede cambiar el mundo, como nos recuerda Margaret Mead. Este cambio puede comenzar con una imaginación, tal vez la tuya, transformada por la lectura de mujeres como las que aparecen en este libro.

JULIA ALVAREZ es una escritora nacida en la ciudad de Nueva York de padres dominicanos y criada entre los dos países. Su padre, un activista que resistió la dictadura de Trujillo, fue obligado a viajar a Estados Unidos con su familia en 1960. En 1994 Álvarez publicó *In the Time of the Butterflies,* una novela que relata la historia de las hermanas Mirabal. Ha escrito 22 libros, incluyendo novelas, no ficción y obras de poesía e historias para jóvenes lectores de todas las edades.

FLORA MACDONALD

Flora MacDonald fue una prominente política y filántropa canadiense. Fue la primera mujer en ser ministra de Asuntos Exteriores de Canadá y una de las primeras mujeres en dirigir una campaña de alto perfil para el liderazgo de un importante partido político canadiense. En 2007 fundó *Future Generations*, una organización que apoya escuelas, salud y proyectos agrícolas en aldeas afganas. Falleció en 2015.

UNA VIDA POLÍTICA DE COMPASIÓN

Por Monia Mazigh

Soy tunecina de nacimiento y en ningún momento pensé que un día, una mujer canadiense de ascendencia escocesa influiría en mi vida y me ayudaría a tomar decisiones cruciales. Pero Flora MacDonald estaba destinada a entrar en mi vida y cambiarla.

Conocí a Flora en el verano de 2003 en circunstancias trágicas para mí. Mi esposo, Maher Arar, ciudadano canadiense que emigró de Siria a Canadá con sus padres a finales de los años ochenta, fue detenido en septiembre de 2002 cuando regresaba de Túnez, donde habíamos estado de vacaciones. Su vuelo a Montreal hacía escala en el aeropuerto JFK de Nueva York, cuando fue detenido por agentes del FBI, interrogado durante horas, encadenado y llevado al Centro de Detención Metropolitana en Brooklyn. Yo todavía estaba en Túnez con nuestra hija de cinco años y mi hijo de ocho meses, esperando la llamada de Maher para decirme que había llegado sano y salvo. Esa llamada nunca llegó.

Después de días de llamadas telefónicas frenéticas a familiares y amigos acerca del paradero de Maher, funcionarios canadienses me informaron que había sido arrestado. Más tarde, descubrí por qué: el FBI sospechaba que Maher era un terrorista de Al-Qaeda.

Mi vida cambió para siempre. Al principio estaba en estado de shock, abrumada por la noticia. Sin saber qué hacer, amplié mi estancia en Túnez durante unas tres semanas, esperando que este "error" se corrigiera rápidamente. Estaba en estado de negación, soñando con un milagro. Más adelante recibí la confirmación de que las autoridades estadounidenses no solo habían detenido a mi marido por la fuerza sino que lo habían enviado a Siria, un país en el que no había puesto los pies desde los 17 años. Ese día supe que tenía que regresar a Ottawa.

Una vida completamente nueva me aguardaba. En poco tiempo, me convertí en madre soltera, sin trabajo excepto defendiendo a Maher como un honesto ciudadano canadiense, un buen padre y víctima de una terrible injusticia. Poco a poco, me convertí en un activista con una misión aparentemente imposible: traer a mi marido de un calabozo en Siria. No tenía conexiones. No podía contratar a un abogado prominente. No tenía medios financieros. Solo podía hacer una cosa: hablar claramente.

Muy pocos escucharon al principio. Pero poco a poco, más y más gente se indignó al ver cómo mi marido estaba siendo tratado. Ellos también empezaron a pronunciarse.

Flora MacDonald fue una de las personas más importantes con las que hablé. Era miembro de la junta directiva del *International Civil Liberties Monitoring Group*, una organización en la que trabajo actualmente como coordinadora nacional. Su nombre se me planteó por primera vez como alguien que estaba excepcionalmente calificada para ayudarme. Flora había sido ministra de Asuntos Exteriores de Canadá con un fuerte interés y experiencia en asuntos del Medio Oriente. Políticos de todos los partidos la respetaban enormemente y pensamos que podría fortalecer una pequeña delegación de organizaciones de la sociedad civil canadiense que se reuniría con funcionarios estadounidenses en la Embajada de Estados Unidos para abogar por la liberación de Maher.

El mismo día de la reunión sufrí una terrible decepción. Inicialmente, yo iba a formar parte de la delegación, pero en la mañana de la cita, Alex Neve, el secretario general de Amnistía Internacional-Canadá, llamó por teléfono para decir que el funcionario que había aceptado reunirse con nosotros no quería que yo estuviera presente. Mi corazón se hundió. Le pregunté por qué. Alex vaciló, obviamente avergonzado. "El funcionario mencionó que la presencia de la esposa de Maher Arar haría que la reunión fuera muy emotiva". Me sentí devastada e indignada por esta injusticia, pero me tragué mi orgullo y le dije a Alex que siguiera adelante con la reunión por el bien de Maher.

Afortunadamente, me encontré con Flora MacDonald esa misma tarde. Tenía el pelo blanco. Era alta y delgada, con brillantes ojos azules. Me recibió en la oficina donde nos habíamos reunido antes de ir a la embajada de Estados Unidos, y me trató como si me hubiera conocido durante años. Su optimismo ayudó a equilibrar el miedo y la decepción de ese día.

"Sé lo que voy a decir a los funcionarios estadounidenses", me dijo. "Les recordaré cómo Canadá los ayudó durante la crisis de los rehenes en Irán". Explicó que en 1980, seis diplomáticos estadounidenses habían escapado de la toma de rehenes en su embajada en Teherán buscando refugio en la embajada canadiense. Flora misma había autorizado la emisión de pasaportes falsos y moneda para ayudarlos a hacerse pasar por canadienses y así poder salir del país. Yo sabía un poco sobre la revolución iraní y la crisis de los rehenes, pero solo había oído hablar de la operación conocida como *The Canadian Caper,* que inspiró la película *Argo* de 2012.

Me pregunté ese día, y más tarde también, por qué esta valiente dama quería ayudarme, y por qué confiaría en mí, sin saber exactamente quiénes éramos mi esposo y yo. La admiraba. ¡No era de extrañar que ella hubiese tenido las agallas para ayudar a los diplomáticos estadounidenses! Veinte años después, quería pedir a Estados Unidos que devolvieran el favor, en nombre de Maher. Ella entendía que la mejor y más alta política era la cooperación entre las naciones. Estados Unidos es un país poderoso y, sin embargo, en tiempos de crisis, necesitaba a Canadá para ayudar a mantener la seguridad de sus ciudadanos. ¿Podría el recordatorio de Flora de esta historia compartida presionar a los representantes estadounidenses para que a su vez presionaran a los representantes sirios para que liberaran a Maher?

Caminamos a la embajada juntas, pero yo tuve que quedarme afuera con un pequeño grupo de simpatizantes y periodistas, mientras Flora y Alex iban a reunirse con los delegados estadounidenses. Yo sudaba con el calor y la expectativa mientras esperábamos... y esperábamos. Cuando finalmente Flora y Alex salieron de la reunión, ella sonrió amablemente. "Nos escucharon pero se negaron a tomar ninguna acción. Continúan diciendo que Maher Arar está ahora en Siria y que no hay nada que Estados Unidos pueda hacer por él". Me sentí muy desanimada. Pero la sonrisa tranquilizadora de Flora mantuvo vivas mis esperanzas en ese momento y durante mucho tiempo.

Mi esposo fue finalmente liberado 375 días después de su arresto, después del esfuerzo concertado de Flora y de tantos nuevos amigos. Volvió como un zombi, un hombre salido de la tumba. Un hombre sin palabras, solo con un dolor terrible debido a la humillación acumulada y el sufrimiento. Pero con su liberación, sucedió algo mágico. La gente quería escuchar; querían oír la historia de Maher. Hablar ayudó. Se pavimentó el camino de vuelta a la justicia.

Mantuve contacto con Flora después de que Maher regresara. Me reuní con ella en eventos y escuché sobre el trabajo que estaba haciendo en Afganistán, pero nuestros caminos no se cruzaron de manera significativa de nuevo hasta la primavera de 2004. Alexa McDonough, otra amiga y ex líder del *New Democratic Party (NDP)*, me preguntó un día si me interesaría involucrarme en política. Su pregunta me sorprendió, pero, en verdad, siempre había amado la política. Crecí escuchando las interminables discusiones políticas de mi padre con amigos en las que, más tarde, tomé parte. Pero nunca me había unido a un partido político. Ahora la pregunta de Alexa me había hecho sentir inquieta. Una parte de mí quería sumergirse en aguas políticas, mientras que la otra esperaba preservar mi independencia.

Le pedí consejo a familiares y amigos, pero creció aún más mi indecisión. Entonces pensé en Flora. ¿Quién podría darme un consejo mejor? Ella no estaba sesgada. Aunque había pertenecido al, ahora obsoleto, *Progressive Conservative Party,* sabía que no iba a tratar de convencerme de unirme a un partido u otro.

Nos encontramos en su apartamento cerca del histórico canal Rideau. Era cálida y agradable, me mostró fotos de Afganistán y piezas de arte que había traído de sus viajes por todo el mundo. Nos sentamos en el sofá y hablamos de sus años de experiencia en la Cámara de los Comunes. Flora sugirió que si me postulaba a un cargo, debía elegir tres puntos principales para enfocarme en lo que planeaba hacer como política. Me preguntó cuáles podrían ser, pero todavía no estaba preparada para responder. Me aseguró que tendría mucho tiempo para reflexionar, pero que decidir sobre estos puntos era esencial.

En el Día internacional de la mujer en el 2004, fui a un centro comunitario en el sur de Ottawa, mi decisión estaba tomada. Iba a postularme por el NDP en una competencia donde me dijeron que no tenía oportunidad de ganar. El *Ottawa Citizen* incluso fue tan lejos como para llamarme una "candidata simbólica". Pero las palabras de sabiduría de Flora me mantuvieron firme: "escoge tres puntos y concéntrate en tu mensaje". Y lo hice: dije a los votantes que me centraría en los temas de inmigración, en el reconocimiento de las credenciales de los inmigrantes para trabajar en Canadá y en derechos humanos.

Un día después, en mi campaña, conocí a un voluntario de mediana edad. Este hombre era de Afganistán y siempre sonreía. Se había formado como abogado pero no podía ejercer en Canadá. Me dijo que quería volver a la escuela para calificar. —¿Quién te está ayudando?—pregunté. "Mi gran amiga, Flora MacDonald, la amiga de Afganistán", respondió. Estaba encantada de oír su nombre otra vez en este contexto. Flora nunca se detuvo. Ayudó a los afganos en su propio país, así como a los emigrados a Canadá.

El verano pasado, supe que Flora había fallecido. Quedé muy triste. Ella me había ayudado frecuente y libremente, sin esperar nada a cambio. Cuando yo estaba tratando de decidir si quería postularme a la política, ella no forzó la decisión. Me trató como a un igual. Había ayudado a mi esposo sin conocerlo personalmente, pero sabía lo que Canadá debía defender, y quería corregir errores a través de sus acciones.

Tantas mujeres, como yo, estamos de pie sobre los fuertes hombros de Flora MacDonald.

MONIA MAZIGH es una activista y académica canadiense que primero apareció en escena nacional por sus esfuerzos por liberar a su esposo, Maher Arar, un ingeniero canadiense de origen sirio que fue detenido ilegalmente en un aeropuerto de Nueva York en 2002 y enviado a una prisión en Siria. Finalmente fue liberado sin cargos, más tarde recibió una indemnización y disculpas del gobierno canadiense. Mazigh es actualmente la Coordinadora Nacional del *International Civil Liberties Monitoring Group*.

NAWAL EL SAADAWI

Nawal El Saadawi es una prolífica escritora egipcia, dramaturga, activista de derechos humanos y médica, una de las principales feministas de su generación. Sus libros, que suelen abordar temas feministas que son tabú en las sociedades árabes, han sido prohibidos en Egipto y otros países árabes. Su trabajo reciente sobre los derechos de las mujeres se ha centrado en la necesidad de eliminar la práctica generalizada de la mutilación genital femenina.

CONTANDO VERDADES PELIGROSAS Y SALVAJES

Por Rana Husseini

Tenía 27 años y había sido periodista de la sección de crímenes en *Jordan Times* por menos de un año, cuando escuché una historia que cambió mi vida. Una niña de 16 años llamada Kifaya había sido violada por un hermano y había quedado embarazada, después se atrevió a divorciarse del hombre, mucho mayor que ella, con el que se había visto obligada a casarse, y finalmente fue asesinada por otro hermano para restaurar el "honor" de la familia. Supe que tal vez, una cuarta parte de las mujeres asesinadas en mi país fueron víctimas de una violencia similar llamada "crímenes de honor". Sus asesinos apenas fueron castigados, y nadie hablaba de ello. Durante la década siguiente, tanto en las historias de los periódicos como en mi libro *Murder in the Name of Honour*, trabajé para romper el silencio que rodeaba crímenes que cobraron la vida de miles de mujeres cada año, no solamente en mi país sino en todo el mundo.

La historia de Kifaya me inspiró, pero el coraje de ser activista, la necesidad de decir la verdad y la creencia de que podía y debía hacerlo, había nacido en mí años antes, cuando leí por primera vez a la gran feminista egipcia Nawal El Saadawi.

Compré la obra revolucionaria de El Saadawi *The Hidden Face of Eve* en 1984, cuando tenía 17 años. Yo no era una feminista entonces, ni siquiera una persona muy seria. Era una estudiante que jugaba en los equipos de baloncesto y balonmano para las selecciones femeninas de Jordania. Los deportes y conseguir un grado eran mis objetivos. Pero el libro me sacudió y me abrió los ojos. En mi cultura —incluso en mi propia familia, educada y de mente abierta— temas como la violación, la prostitución, el cuerpo de las mujeres, la sexualidad y el deseo sexual no eran discutidos. Y en esos días antes de Internet, no teníamos acceso a esta información prohibida. Sin embargo, aquí estaba una mujer árabe, escribiendo en árabe, gráficamente y con enojo, sobre todas estas cosas y más: la obsesión de nuestra cultura con la virginidad y el castigo a los considerados "impuros". La naturaleza patriarcal de la religión. La mutilación genital femenina, entonces casi omnipresente en Egipto, y que El Saadawi había sufrido a los seis años: "El dolor no era sólo un dolor, era como una llama ardiente que atravesaba todo mi cuerpo. Después de unos momentos, vi un charco rojo de sangre alrededor de mis caderas".

Pensé: "¡Qué trabajo! ¡Qué coraje para enfrentar a toda una sociedad!" El libro atrapó mi atención y mi alma. Pasaría más de una década antes de conocer a El Saadawi en persona, pero ella se convirtió en mi héroe allí y en ese momento.

Nawal El Saadawi es una figura imponente en el feminismo árabe, una mujer de talento, impulso y pasión, que escribió que ni siquiera cuando era niña "no creería en un país que me robó mi orgullo y mi libertad, en un marido que no me trataba como a un igual". Nació en un pequeño pueblo en 1931, una de nueve hijos que desafió la convención de género desde el principio. Se esperaba de ella que fuera una niña-novia pero se deshizo de un potencial marido al ennegrecerse los dientes y derramarle torpemente café. Más tarde, se casó y se divorció en tres ocasiones.

El Saadawi fue a la universidad, se formó como psiquiatra y se convirtió en una médica exitosa que fundó la revista *al-Sihha* (Salud); a los 32 años se convirtió en directora general de salud pública del Ministerio de Salud de Egipto. Durante esos años también publicó tres novelas y cuentos cortos. Para entonces, su indignación ante el sufrimiento que presenció en sus pacientes mujeres la empujó hacia la escritura de no ficción. En 1972 se convirtió en una de las primeras mujeres en denunciar públicamente la mutilación genital femenina en su libro *Women and Sex*.

El Saadawi pagó caro por atreverse a romper el silencio y hablar. Su libro fue prohibido, la revista *al-Sihha* cerrada, y perdió su trabajo en el Ministerio de Salud. Pero no se detuvo. Para ella el feminismo abarcaba todo, la única lente posible a través de la cual ver el mundo. "Es la justicia social, justicia política, justicia sexual", dijo. "El vínculo entre medicina, literatura, política, economía, psicología e historia". Después vino la novela *Woman at Point Zero*, sobre una prostituta que va a la cárcel por asesinar a su proxeneta. *The Hidden Face of Eve* (también prohibida en Egipto) salió en 1977. En 1981, El Saadawi fundó la Asociación Árabe de Solidaridad Femenina, editó la revista feminista *Confrontation* y fue arrestada por el gobierno de Anwar el-Sadat, junto con otros 1.500 disidentes políticos.

Denegada la pluma y el papel en la cárcel, hizo amistad con otra presa, una prostituta, quien le consiguió un lápiz de cejas y papel higiénico, en el que escribió un nuevo libro, *Memoirs from the Women's Prison*. Después de su liberación, su franqueza le trajo amenazas de muerte y se vio obligada a huir del país. Sin embargo, El Saadawi no se dejó intimidar. "El peligro ha sido parte de mi vida desde que cogí una pluma y escribí", dijo más tarde. "Nada es más peligroso que la verdad en un mundo que miente".

En el exilio, El Saadawi enseñó en universidades de Estados Unidos y Europa, dio conferencias y siguió escribiendo. En última instancia, fue autora de diecinueve novelas y cuentos cortos, tres obras de teatro, seis obras biográficas y diez de no ficción. Nunca suavizó su enfoque. Las palabras, escribió más tarde, no deberían "tratar de complacer, ocultar las heridas en nuestros cuerpos, o los momentos vergonzosos en nuestras vidas. Pueden doler, darnos dolor, pero también pueden provocar que cuestionemos lo que hemos aceptado por miles de años". Con su alcance global, inspiró a un sinnúmero de jóvenes activistas. Una vez dijo en una entrevista que recibía de diez a quince cartas diarias de mujeres —como yo— cuyas vidas tocó. Se negó a suavizar su postura con la edad. "He notado que los escritores, cuando son viejos, se vuelven más suaves", dijo a un entrevistador. "Pero para mí, es todo lo contrario". En 1996, regresó a Egipto después de años de exilio; en 2011, a la edad de 80 años, con el puño levantado y el cabello grueso despeinado, marchó con millones de jóvenes manifestantes en la Plaza Tahrir de El Cairo.

Cuando era adolescente, la lectura de El Saadawi me envalentonaba. Pensé: "Si esta mujer puede hablar, yo también". Muchos años después, en una librería, vi una nueva obra de El Saadawi, *My Life*. Pensé: "¿Qué material nuevo y atrevido podría El Saadawi ofrecer en esta ocasión?" Compré inmediatamente el libro y una vez más, la valiente y rebelde El Saadawi logró sorprenderme y obligarme a pensar más allá de las ideologías tradicionales. Escribió sobre el dolor y el placer de su infancia, sobre el amor, la lujuria, el sexo, el matrimonio, el divorcio, el envejecimiento y la reconciliación consigo misma. Una frase me hizo sonreír amargamente: "Yo era virgen a los 20 años cuando me casé después de una gran historia de amor, que terminó cuando tenía 26 años aún virgen, luego me convertí en madre virgen y finalmente fui liberada por el divorcio". Aún una mujer poderosa como El Saadawi no podía hacer que el matrimonio funcionara.

El Saadawi, junto con otras valientes feministas como Fatema Mernissi de Marruecos y Taslima Nasrin de Bangladesh, me dieron ánimo después de la publicación de mi libro sobre los llamados crímenes de honor. Había roto un tabú, y fui denunciada como anti-islam, anti-Jordania, anti-familia, una colaboradora occidental, alguien que estaba fomentando el adulterio y el sexo antes del matrimonio. Un hombre me escribió para decirme que estaba limpiando su rifle de caza; otro amenazó con "visitarme" si no dejaba de escribir. Pero yo sabía que lo que estaba haciendo estaba bien, y que podía hacer la diferencia. Con otros jóvenes, formé el Comité Nacional Jordano para eliminar los crímenes de honor, y he visto enormes cambios como resultado de nuestro trabajo. La cuestión de estos crímenes ya no está escondida en Jordania; ahora se discute en la prensa por los ciudadanos, funcionarios del gobierno y otras personas. El gobierno ha abierto una casa de la reconciliación para ayudar a mujeres y a niños abusados y ha habido cambios importantes en la manera como nuestro poder judicial maneja tales crímenes. Los castigos son más duros y la corte penal ha designado un tribunal especial para juzgar estos casos. Muchos otros países han empezado a reconocer y abordar el problema.

Ahora tengo 49 años, a veces mujeres jóvenes me dicen que mi voluntad de discutir algo que nadie más haría significa algo para ellas. Me gusta pensar que estoy transmitiendo la fuerza que El Saadawi me dio. La violencia que todavía ocurre diariamente contra las mujeres y los niños no es algo de lo que uno elige hablar hoy y olvida al día siguiente. La semana en que escribí este ensayo, casi medio siglo después de la publicación de *El Saadawi Women and Sex*, una niña de 17 años murió mientras se sometía a un procedimiento de mutilación genital ilegal en un hospital privado en Egipto.

En 2000 y de nuevo en 2015, tuve el privilegio de encontrar personalmente a mi heroína. Ambas hablamos en la misma conferencia y pasamos tiempo juntas en un picnic en un parque local. Pude contarle a El Saadawi lo importante que eran sus libros para mí y escucharla expresar su aprecio por mi trabajo. Es tan vívida en persona como lo es en sus libros, divertida, sarcástica y con una inteligencia audaz.

En muchos sentidos, se ha vuelto más difícil para las feministas en nuestra región. Más conservadores están hablando y las ideologías extremistas se están extendiendo. La voluntad de El Saadawi de criticar la religión y el uso del *hijab* la han vuelto más polémica que nunca. Ella permanece furiosamente fiel a sí misma. En una de las conferencias donde nos encontramos, un grupo que se encontraba fuera de la puerta distribuyendo folletos donde llamaban mentirosa a El Saadawi. Esto no la afectó y no le hizo cambiar su discurso.

Una de mis citas favoritas de El Saadawi está en la novela *Woman at Point Zero*, cuando las autoridades dicen a un personaje "Eres una mujer salvaje y peligrosa", y la mujer responde: "Estoy diciendo la verdad. Y la verdad es salvaje y peligrosa".

El Saadawi podría haber estado refiriéndose a sí misma.

RANA HUSSEINI es reportera y activista de derechos humanos, cuyo libro de 2009 *Murder in the Name of Honour,* trajo la atención nacional en su Jordania natal sobre los llamados crímenes de honor. Es reportera de *The Jordan Times* y miembro del consejo de *Equality Now,* una organización internacional de derechos humanos dedicada a los derechos de las mujeres.

JANE GOODALL

Jane Goodall es una de los principales primatólogos del mundo. Su trabajo en la década de 1960 revolucionó nuestra comprensión del comportamiento de los chimpancés y desafió la metodología de investigación tradicional. Ella viaja por el mundo hablando sobre la conservación y los derechos de los animales, es la fundadora del Instituto Jane Goodall, que busca mejorar la comprensión global de los grandes simios y ayudar a proteger su hábitat.

EL LUGAR DE UNA MUJER ESTÁ EN EL BOSQUE

Por Elizabeth Abbott

No crecí sabiendo de Jane Goodall, la mujer británica que, al cambiar la forma en que los científicos entendían los primates, redefinió a los humanos. Goodall entró en mi vida en 1963 a través de su artículo "Mi vida entre chimpancés salvajes", publicado por la *National Geographic Society*, que generosamente patrocinó su trabajo de campo y esperaba a cambio un artículo profundo debidamente ilustrado con excelentes fotografías. El artículo de Goodall presentó el mundo a una joven que cumplía su sueño de infancia de observar animales salvajes africanos en su estado libre. Sorprendentemente, Goodall no había sido un prodigio científico en la escuela, sino más bien una amante entusiasta de la naturaleza y una ávida lectora inspirada en la literatura: *Dr. Dolittle* de Hugh Lofting, *El libro de la selva* de Rudyard Kipling y *Tarzán de los monos* de Edward Rice Burroughs, la historia de un muchacho británico perdido en la selva y adoptado por una gorila. "Quería acercarme lo más posible a los animales", explicó más tarde.

En 1957, durante su viaje de ensueño a Kenia para observar "animales salvajes libres que viven sus apacibles vidas", Goodall conoció e impresionó tanto al famoso antropólogo y paleontólogo Dr. Louis Leakey, que la contrató para ayudarlo en sus proyectos, permitiéndole de esta manera dedicar su vida al estudio de los chimpancés. Pero seguir a los chimpancés salvajes de la *Gombe Stream Chimpanzee Reserve* en Tanzania occidental era un trabajo duro y tedioso. Goodall finalmente ganó la aceptación y más tarde la confianza de los chimpancés. Documentó incidentes que sorprendieron a los científicos, como cuando los chimpancés cazaban y comían la carne de cerdos de monte y de los monos colobus, refutando así la creencia, entonces ampliamente sostenida, de que los chimpancés eran vegetarianos.

Otro descubrimiento revolucionario fue que los chimpancés fabricaban herramientas para extraer y raspar las termitas de sus montículos y colocarlas en sus bocas. Anteriormente se suponía que la creación de herramientas era una actividad exclusivamente humana. Como jefe de Jane, Louis Leakey, anunció: "Ahora debemos redefinir la herramienta, redefinir al hombre, o aceptar a los chimpancés como seres humanos".

Prediciblemente, los detractores de Jane la acusaron de antropomorfismo: el pecado científico de atribuir características humanas a los animales. Pero Jane lo sabía mejor. "Tuve un maestro maravilloso en el comportamiento animal durante mi infancia —mi perro, Rusty", declaró. Jane sabía que incluso si Rusty hubiera sido llamado "número 951" (antes de Jane, a los chimpancés de estudio se les asignaban números en lugar de nombres para mantener la "objetividad"), él le habría enseñado la misma verdad.

Los logros científicos de Jane fueron tan impresionantes que la Universidad de Cambridge la admitió como estudiante de doctorado, a pesar de que no tenía un título universitario. Ella perseveró en el ambiente desalentador y difícil de la universidad, y el 9 de febrero de 1966, obtuvo su doctorado en Etología —el estudio del comportamiento— un campo que nunca había oído hablar cuando comenzó sus estudios de postgrado. "¿Existe la palabra Etología?", le había preguntado a su madre, "Siento que puede ser una mala digitación de ecología".

Ya como una especialista reconocida, Jane continuó su trabajo. Documentó a grupos rivales de chimpancés luchando, a menudo hasta la muerte, lo que derrumbó el mito de que los chimpancés eran criaturas pacíficas. Describió cómo Passion y Pom, un dúo de madre-hija, cometieron "asesinatos bárbaros" y luego se comieron a los bebés de los chimpancés rivales y concluyeron que, al igual que sus parientes humanos, los chimpancés tienen "un lado oscuro en su naturaleza". De otro lado, también observó actos de compasión y, en una ocasión observó un baile alegre que interpretó como una expresión de asombro ante la vista de espectaculares cataratas, una respuesta que comparó con una experiencia religiosa.

El impacto de Jane en la metodología académica de trabajo de campo —reconocer a los chimpancés como individuos distintos y nombrarlos en vez de numerarlos— fue innovador y estableció un nuevo estándar de investigación. Su desarrollo de una metodología científica rica en datos, tanto en lo descriptivo como en lo analítico, ha sido otro logro importante, ya que ha permitido a científicos excelentes, muchos de ellos mujeres, continuar sus pasos y avanzar en el trabajo de investigación.

Cuando yo era más joven, una estudiante de doctorado y una historiadora en formación, también estaba profundamente interesada en la vida personal de Jane. Estaba especialmente curiosa acerca de cómo logró hacer que su matrimonio con el cineasta Hugo Van Lawick funcionara, y cómo crio a su hijo, Hugo (también conocido como Grub), de la manera amorosa pero poco ortodoxa que lo hizo, al mismo tiempo que seguía su misión de investigación. Después de una década juntos, Jane y Van Lawick, quien era depresivo y dependiente, se divorciaron amistosamente. Un año más tarde, se casó con su amante, Derek Bryceson, miembro del parlamento de Tanzania y director de los parques nacionales del país.

En los últimos años, después de leer la espléndida biografía de Dale Peterson, *Jane Goodall: The Woman Who Redefined Man,* comprendí mejor por qué no había logrado equilibrar completamente su vida personal y laboral, incluso con Bryceson. "Por favor, trata de entender que, aunque pueda estar un poco cansada, estoy haciendo esto porque 'lo amo y quiero' hacerlo", suplicó en una carta. "Por favor entiende. Queridísimo, queridísimo, queridísimo Derek. No quiero que me impidan hacer este trabajo...". El amor de Bryceson era tan celosamente posesivo que Jane se dio cuenta que el matrimonio con él era insostenible. La muerte, no la separación, terminó con esta relación, después de que Derek fue golpeado con cáncer metastásico y murió meses más tarde, con Jane a su lado.

En noviembre de 1986, el Simposio de la Academia de Ciencias de Chicago *Understanding Chimpanzees* presentó el nuevo libro de Jane, *Chimpanzees of Gombe: Patterns of Behavior*. Este foro también cambió su vida, ya que la transformó de una científica investigadora en una defensora de la conservación y la educación. Los científicos informaron que los bosques estaban desapareciendo por todas partes, y preguntaron qué era lo bueno de entender a los chimpancés cuando la destrucción del hábitat, la tala, el comercio de carne de animales silvestres, la exportación ilegal y la caza furtiva estaban diezmando a estos animales. Jane asumió el papel de presidente del recién formado *Committee for Conservation and Care of Chimpanzees* y se convirtió en una defensora itinerante y embajadora de chimpancés, tanto salvajes como encarcelados, en laboratorios de investigación y zoológicos.

Mientras Jane cambiaba la vida en Gombe por una de aeropuertos internacionales, hacía *lobby* y un sinnúmero de discursos, nuestros mundos comenzaron a coincidir. Para entonces yo también era una defensora de los animales y el medio ambiente, y varios periódicos me habían pedido reseñas de los libros de Jane. Los dos que más me impresionaron fueron: *Reason for Hope: A Spiritual Journey* (1999) y *Hope for Animals and Their World: How Endangered Species Are Being Rescued from the Brink* (2009). Al igual que yo, Jane se ha desesperado mientras los humanos persistimos en destruir atropelladamente el medio ambiente a nivel mundial. Pero mientras que los seres humanos somos capaces de maldad "inconmensurablemente mayor que la peor agresión de los chimpancés", Jane también cree que la bondad innata coexiste con la agresión. En elecciones morales y acciones sensatas de individuos y grupos, ella ve herramientas para el cambio y la regeneración. Cree que todo el mundo puede y debe hacer algo para ayudar. Lo más impresionante es que ha fundado *Roots & Shoots,* un programa práctico dirigido por jóvenes que les proporciona el conocimiento, las herramientas y la inspiración que necesitan para mejorar el ambiente y la calidad de vida, tanto para los humanos como para los animales.

Una década más tarde, con una sexta extinción en masa a la vista y la vida del planeta en juego, Goodall apuesta por ella, porque ella debe galvanizar una masa crítica de la humanidad para tomar acción en lugar de simplemente torcerse las manos. En *In Hope for Animals and their World,* enumera cuatro actos salvadores: "Nuestro intelecto extraordinario, la resiliencia de la naturaleza, la energía y el compromiso de los jóvenes informados que están facultados para actuar, y el indomable espíritu humano". Las sugerencias de Goodall son sumamente prácticas. El extenso apéndice del libro, *What You Can Do,* incluye páginas de programas y sitios web que guían a los lectores a *Take Action* y *Meet the Species.* Los jóvenes, tan cruciales para el éxito futuro, pueden participar en los programas humanitarios y ambientales de *Roots & Shoots.*

Ahora en sus ochenta, Goodall viaja trescientos días al año, abogando por la conservación del bosque, el desarrollo sostenible y el trato humano de los animales. Hace una década tuve la gran suerte de conocerla. Llevaba simplemente un suéter y pantalones, su pelo plateado ligeramente amarrado en una cola de caballo, tal como la había usado en las selvas de Gombe. Yo era una más de la horda de admiradores alineados para saludarla. Cuando llegó mi turno, ella sonrió mientras yo le agradecía en nombre de los animales y rápidamente pasó a la siguiente persona. Desearía ahora que hubiera sido capaz de decirle lo mucho que me ha inspirado en lo que más nos importa a las dos: la protección de los animales y el medio ambiente. "¡Actúen!", ella siempre insiste, y a mi manera, yo lo hago. Mi última aventura, la candidatura por *Animal Alliance/ Environment Voters Party* de Canadá en las elecciones federales de 2015, me inspiré en su ejemplo de *lobby* abogando por la protección de los animales, en lugar de trabajar directamente con ellos (lo cual yo también prefiero).

En abril de 2002, Jane fue nombrada Mensajera de las Naciones Unidas para la Paz y se comprometió a promover este mensaje: "Para lograr la paz global, debemos no solo parar de luchar entre nosotros, sino también dejar de destruir la naturaleza". Nos guía a través de clases, escritos y compromisos personales, y especialmente a través de *Roots & Shoots*, que ha aumentado de 12 estudiantes originales en Tanzania a más de 150.000 miembros en 130 países.

A medida que recorre el mundo, llegando a todos los que puede, Goodall nunca deja de recordar a la gente su responsabilidad personal de hacer cambios que importen, tales como opciones de consumo, de estilo de vida y acciones. Ella lleva un mono disecado y a veces una roca de la cantera de la prisión de Sudáfrica, donde el líder anti-apartheid, Nelson Mandela, trabajó durante décadas, para ayudar a hacer estos llamados.

El trabajo de Jane me ha enseñado que hacer la paz es mucho más que simplemente oponerse a la guerra. El verdadero establecimiento de la paz incluye trabajar para erradicar las causas de la guerra, especialmente la degradación ambiental que desencadena muchos de los peores conflictos. Sus lecciones guían mi vida. Cada pequeña cosa que puedo hacer cuenta. Debo ser consciente de lo que mis decisiones implican, y siempre tratar de tomar las correctas para nuestro mundo compartido.

ELIZABETH ABBOTT es una escritora galardonada e historiadora canadiense con un interés particular por los asuntos de la mujer, el bienestar de los animales y el medio ambiente. Su libro más reciente *The History of Marriage* (2010) es el último de una trilogía sobre las relaciones humanas.

MAIREAD MAGUIRE

Después de que tres de los hijos de su hermana fueron asesinados durante la violencia entre católicos y protestantes en Irlanda del Norte, Mairead Maguire organizó manifestaciones masivas y otras acciones pidiendo un fin no violento al conflicto. Junto a Betty Williams, fundó *Peace People*, y las dos ganaron el Premio Nobel de la Paz en 1976. Desde entonces, ha pasado su vida siendo solidaria con personas que viven en conflictos, incluyendo Palestina, Afganistán y más recientemente, Siria.

DANDO TESTIMONIO DE LA INJUSTICIA

Por Kathy Kelly

En algún momento a principios de los noventa, activistas birmanos que se oponían al gobierno militar de Birmania —que tomó el poder en 1988— habían invitado a Mairead Maguire a hablar en un acto público en Chicago. Varios amigos y yo escuchamos sobre su visita, y decidimos tratar de conocerla cuando llegó al aeropuerto O'Hare. Esperábamos que firmara nuestra petición pidiendo que la *Amoco Oil Company* dejara de apoyar al régimen birmano, con sus bien documentados abusos contra los derechos humanos. La calidez de Mairead derritió nuestra aprensión inicial por acercarnos a una ganadora del Premio Nobel de la Paz que no nos esperaba. Sonriendo ampliamente, nos aseguró que todos debemos hacer vigilias, trabajar por la justicia y, por supuesto, conocer a la población birmana que vivía en Chicago. Nos invitó a una suntuosa comida preparada por sus amigos birmanos.

Desde ese primer encuentro, nunca he dudado de la genuina oferta de amistad de Mairead. ¿Por qué no elegiríamos la paz y la no violencia juntas, y trabajaríamos para abandonar la guerra y el militarismo de una vez por todas?

En las décadas siguientes, ya fuese escribiendo a Mairead desde una prisión federal de Estados Unidos —donde he pasado mucho tiempo encerrada por participar en acciones de protesta no violentas— o hablando con ella en persona acerca de las posibilidades de viajar a una zona de guerra, siempre me he sentido muy afortunada de contar con su calidez.

Ciertamente, el pueblo birmano que la recibió en Chicago el día en que nos conocimos, se dio cuenta de lo extraordinariamente cerca que está de las luchas que han sufrido. Mairead, como muchos de ellos, ha perdido a personas a las que amaba y también conoce la angustia de esperar a que los seres queridos sean liberados de la prisión.

***

El 10 de agosto de 1976, Irlanda del Norte estaba al borde de la guerra civil. Una de las hermanas más jóvenes de Mairead, Anne, de 31 años, caminaba con sus cuatro hijos a una biblioteca local en Belfast, cuando Joanne (ocho), John (dos y medio) y Andrew (seis semanas) fueron asesinados. "Hubo un choque entre una unidad de servicio activo del Ejército Republicano Irlandés y el Ejército británico", recuerda Mairead. "El ejército mató a tiros al hombre del IRA, quien trataba de huir en un carro. El vehículo subió por el andén y mató a tres de los cuatro hijos de mi hermana. Ella enfermó gravemente y no se esperaba que sobreviviera. Fue entonces cuando hablé en contra de toda violencia. Comenzamos lo que se conoció como *Peace People*, un movimiento comprometido con la no violencia y con el cambio social y político".[1]

---

[1] Maguire, Mairead Corrigan. Entrevista con Amitabh Pal. *The Progressive*, (Abril 2013) http://old.progressive.org/mairead-maguire-interview

En las semanas y meses que siguieron, Mairead, con Betty Williams —una activista por la paz que fue testigo accidental del asesinato de los sobrinos de Mairead— y Ciaran McKeown —un corresponsal de *Irish Press*, trabajaban a menudo hasta el agotamiento. Organizaron a decenas de miles de personas de Irlanda del Norte en manifestaciones que expresaron el deseo ampliamente extendido de detener el derramamiento de sangre, encarcelamientos, torturas y asesinatos que destrozaban Irlanda, tanto el Norte como el Sur. En un momento dado, convocaron a 35.000 personas en las calles de Belfast para pedir la paz entre las facciones republicana y la leal al régimen.

La hermana de Mairead, Anne, con las piernas y la pelvis fracturadas, despertó del coma después de dos semanas, y entonces se enteró de lo que había sucedido. Se quitaría la vida cuatro años más tarde. Mairead recuerda: "Una de las primeras salidas de Anne fue a la reunión de *Falls Road* en Belfast, donde se paró frente a miles de personas y leyó la Declaración de *Peace People*".[2] Anne también fue a visitar a la señora Lennon, madre del muchacho de 19 años Danny Lennon, el hombre del IRA que fue asesinado conduciendo el vehículo en fuga. "También ha perdido a su hijo" dijo Anne.[3]

Fue por su trabajo para poner fin a ese sufrimiento que Mairead y Betty Williams fueron galardonadas con el Premio Nobel de la Paz de 1976. Mairead ha estado a la altura de este honor, trabajando desde entonces para ayudar a la gente a abandonar la violencia y buscar maneras prácticas de estar juntos, descartar viejos dogmas y realizar cambios difíciles.

Poco después de recibir el Premio Nobel de la Paz, Adolfo Pérez Esquivel, activista argentino de derechos humanos,

---

[2] Maguire, Mairead Corrigan, *The Vision of Peace: Faith and Hope in Northern Ireland*, Editado por John Dear. Eugene, OR: Wipf and Stock, 1999, p. 22

[3] Ibid., p. 23

invitó a Mairead a visitar Argentina. Los colegas de Mairead la animaron a aceptar la invitación, creyendo que ella podría hacer una diferencia positiva en las vidas de activistas estudiantiles que protestaban contra la dictadura de Jorge Rafael Videla. Al principio Mairead declinó, diciendo que su papel era trabajar más cerca de casa, donde comprendía las circunstancias y conocía a las personas involucradas. Pero finalmente decidió ir y, una vez allí, se reunió con hombres y mujeres jóvenes cuyos compañeros habían sido torturados, encarcelados y desaparecidos. El viaje provocó la liberación de varios activistas estudiantiles, y en 1980, nominado por Mairead, Adolfo Pérez Esquivel fue galardonado con el Premio Nobel de la Paz por su trabajo promoviendo soluciones no violentas a problemas políticos en América Latina. Mairead y Adolfo continúan trabajando juntos, presionando por soluciones justas y no violentas dondequiera que se violan los derechos humanos.

En 1996, un pequeño grupo de activistas estadounidenses reunidos en mi cocina inició una campaña para desafiar las sanciones económicas contra Irak. Las sanciones impuestas por el Consejo de Seguridad de los Naciones Unidas cuatro días después de que Irak invadió Kuwait en agosto de 1990, castigaron brutalmente a las personas más vulnerables de Irak, incluidos los ancianos y los niños. Los niños iraquíes estaban sufriendo de malnutrición y de enfermedades gastrointestinales y respiratorias, pero los médicos no podían tratarlos porque se prohibía a Irak comprar los medicamentos necesarios. Nuestro grupo organizó más de 70 delegaciones para visitar Irak, llevando suministros médicos de emergencia para entregar a niños y familias. Nos llamamos *Voices in the Wilderness,* y Mairead fue uno de nuestras partidarias más fuertes. El gobierno estadounidense nos amenazó de inmediato con 12 años de prisión y enormes multas por violar las sanciones. Aseguramos a las autoridades que entendíamos las penalidades, pero que no podíamos ser gobernadas por leyes injustas que castigaban a los niños. A continuación, invitamos al gobierno a unirse a nuestro esfuerzo. Las sanciones, que duraron 13 años, contribuyeron directamente a la muerte de miles de niños menores de cinco años.

Mairead aceptó nuestra invitación para unirse a una delegación patrocinada por la *Fellowship of Reconciliation*, e invitó a su amigo y ganador del Nobel, Adolfo Pérez Esquivel, a viajar con ella a Irak. Yo había organizado reuniones con un grupo diverso de ciudadanos iraquíes, pero Adolfo, leyendo el itinerario, estaba perplejo y decepcionado. ¿Dónde estaban los jóvenes? Él y Mairead siempre han buscado los puntos de vista serios y despreocupados de los jóvenes dondequiera que viajen. Organizamos rápidamente una reunión con chicas iraquíes que estudiaban en una escuela secundaria de Bagdad. Una joven se puso de pie y dijo: "Ustedes vienen y dicen que lo harán, lo harán, pero nada cambia. Yo tengo 16. ¿Pueden decirme cuál es la diferencia entre lo que yo siento y lo que siente alguien que tiene 16 años de su país? Se los diré. Nuestras emociones están congeladas. ¡No podemos sentir!" La niña se sentó, llorosa, mientras su amiga se paró y nos contó del hambre que enfrentaban los estudiantes y sus familias, después de una década de bombardeos y sanciones económicas. Testimonios como este demuestran por qué Mairead y Adolfo tienen razón al insistir en que escuchemos las voces de las personas que soportan la peor parte de las invasiones y los asedios de los gobiernos ricos- y por qué es especialmente importante escuchar las voces de los jóvenes.

El compromiso de Mairead de escuchar la ha obligado a unirse a la gente en situaciones extremadamente difíciles. Una vez, después de visitar al activista pacifista estadounidense encarcelado Phil Berrigan, sentía que era imposible simplemente dejarlo y volver a una vida cómoda. La segunda guerra de Irak se acercaba y las apuestas para la humanidad eran altas. Mairead se negó a abandonar la prisión. Los guardias de la prisión la registraron, y la pusieron en una celda. "Nunca olvidaré mi breve estancia en esa pequeña, sucia y estrecha celda", escribió más tarde. "Es increíble pensar que un millón y medio de personas, toda la población de Irlanda del Norte, están en cárceles estadounidenses. Todo el sistema está orientado a deshumanizar, controlar y debilitar a los demás seres humanos. La prisión no soluciona ningún problema. Me pregunto ¿en qué momento los gobiernos del mundo empezarán a combatir el crimen de raíz, asegurando justicia para los pobres"?[4]

Durante más de una década, Mairead ha dado testimonio del movimiento de resistencia no violenta en Israel y Palestina. Ha acompañado regularmente a manifestantes no violentos en Bil'in, una aldea palestina en Cisjordania central. Durante una de estas manifestaciones en 2007, las fuerzas de defensa israelíes le dispararon en una pierna. Seis palestinos murieron al día siguiente, entre ellos una niña de 17 años.[5] Tres años más tarde, Mairead viajó a bordo del *Rachel Corrie*, un barco que transportaba un grupo de activistas por la paz que intentaban romper el sitio israelí de Gaza transportando suministros de ayuda humanitaria al pueblo de Gaza. Las fuerzas de defensa israelíes abordaron el barco en aguas internacionales, deteniendo a todos. Mairead fue deportada y se le prohibió entrar a Israel por diez años.

Meses después, cuando regresó a Israel como parte de una delegación de paz con la Nobel de Paz Jody Williams, las autoridades le negaron la entrada al país y la detuvieron en el centro de detención Ben Gurion de Tel Aviv. Cuando las fuerzas de seguridad intentaron deportarla al día siguiente, Mairead se instaló pacíficamente en la pista al lado del avión. La tripulación se negó a participar en forzar a Mairead a abordar y exigió el debido proceso. Después de siete días en confinamiento solitario, Mairead compareció ante la Corte Suprema de Israel.

---

[4] Maguire, *The Vision of Peace*, p. 95

[5] Dear, John, "Nobel Laureate Mairead Maguire Practices Nonviolence in Palestine," *National Catholic Reporter,* Mayo 1, 2007 http://ncronline.org/blogs/road-peace/nobel-laureate-mairead-maguire-practices-nonviolence-palestine

En ella dijo que no reconocía su orden de deportación porque el barco *Rachel Corrie* había ido a Gaza para terminar con el castigo colectivo, ilegal y letal, y había sido secuestrado en aguas internacionales. Los tres jueces confirmaron la orden de deportación, pero el punto de Mairead fue dado. "El hecho de que sea crítica con las políticas del gobierno israelí no me convierte en un enemigo de Israel o de su pueblo", dijo Mairead, "sino defensora de una ética de los derechos humanos y la no-violencia, y una creyente de que la paz es posible entre ambos pueblos cuando reine la justicia".[6]

Mairead cree que todos debemos preguntarnos cómo podemos aprender a vivir juntos y resolver problemas sin matarnos unos a otros. Insiste en que los más pobres de nuestro mundo deben ser nuestra máxima prioridad. "Tal vez el mayor tributo que podamos rendir a Gandhi", dice, "es trabajar para eliminar la pobreza de la faz de la tierra. Gandhi dijo que la pobreza es la peor forma de violencia".[7]

En 2010, los activistas de *Voices for Creative Nonviolence* comenzamos a visitar a jóvenes afganos. Nos inspiraron los trabajos de Gandhi, de Martin Luther King y de Mairead Maguire. Mairead aceptó de buena gana unirse a una delegación de *Voices for Creative Nonviolence* en Afganistán. Cuando llegó a Kabul en diciembre de 2012, los jóvenes voluntarios de paz afganos, que la fueron a recoger al aeropuerto, se sorprendieron al verla abrazar a los soldados armados asignados a los puestos de control. Pero dicha calidez está en el corazón de su mensaje: su sobresaliente reconocimiento del valor de cada persona y su insistencia de que "los verdaderos enemigos de la humanidad son la enfermedad, el hambre, la falta de vivienda, la pobreza, la codicia, la tortura y la guerra".[8] La acción de Mairead inspiró

---

[6] Peace People Press Release, Indymedia Ireland, Octubre 8, 2010. http://www.indymedia.ie/article/97884

[7] Dear, "Nobel Laureate Mairead Maguire Practices Nonviolence in Palestine"

[8] Maguire, *The Vision of Peace*, p. 116

a los jóvenes voluntarios a iniciar una campaña para terminar la guerra. Desde entonces, ha animado continuamente a estos jóvenes afganos a construir un mundo "libre de fronteras", aun cuando soporten las presiones de vivir en una zona de guerra.

Recuerdo cómo Mairead aceptó a nuestro pequeño grupo de pacifistas en Chicago hace tanto tiempo. Vimos su hermosa capacidad de hacer que la atención parezca ordinaria y algo que todos podemos hacer. A lo largo de mi larga amistad con Mairead, he sido testigo de primera mano de su intenso deseo de reunir a personas de diferentes grupos para buscar la verdad y la reconciliación. Un principio básico de la no violencia dice que "los medios que usas determinan el fin que obtienes". El coraje y bondad infalibles de Mairead nos están mostrando el camino.

KATHY KELLY es una pacifista estadounidense y activista de la paz muy aclamada, uno de los miembros fundadores de *Voices in the Wilderness* y es una de las coordinadoras de *Voices for Creative Nonviolence*. Ha viajado a Irak veintiséis veces, incluyendo zonas de combate durante los primeros días de ambas guerras entre Estados Unidos e Irak, y sus más recientes viajes se enfocan en Afganistán y Gaza, junto con protestas domésticas contra la política de los drones estadounidenses. Ha sido detenida más de sesenta veces en su país y en el extranjero, y en 2000 fue nominada para el Premio Nobel de la Paz por el Comité de Amigos del Servicio Americano.

CORA WEISS

Cora Weiss es presidenta del *Hague Appeal for Peace*, una red internacional dedicada a la abolición de la guerra y hacer de la paz un derecho humano. Activista desde la década de 1950, el trabajo de Weiss ha abarcado la ruptura de barreras raciales en la década de 1960, un papel de liderazgo en el movimiento contra la guerra de Vietnam, convocando a las mujeres promotoras de paz durante la Guerra Fría y, en 2000 promoviendo la histórica Resolución 1325 del Consejo de Seguridad de Naciones Unidas, que reconoce el papel esencial de las mujeres como promotoras de la paz.

CUANDO LA CAUSA ES CORRECTA

Por Sanam Naraghi Anderlini

Tengo la suerte de llamar a Cora Weiss mi amiga y mentora, modelo a seguir y fuente diaria de inspiración. Mientras me siento a escribir sobre ella, me encuentro estancada, temerosa de no hacerle justicia. He conocido a Cora durante 18 años, prácticamente toda mi carrera. Ha sido una fuerza constante en mi vida, de la manera más firme, pero a la vez más gentil.

Antes de conocernos personalmente, ya la conocía por su reputación. Era "la formidable Cora Weiss", activista por la paz y con una capacidad extraordinaria de convocatoria. Finalmente la conocí en 1999, en una conferencia llamada *Hague Appeal for Peace,* en la que Cora encabezó la reunión de los principales visionarios, profesionales y artistas del mundo para imaginar un mundo sin guerra. Propusimos docenas de iniciativas, desde redes que advierten acerca de guerras inminentes y alianzas para la erradicación de armas pequeñas, a una campaña global dirigida a llevar las voces de las mujeres al exclusivo club masculino de paz y seguridad.

En medio del bullicio de los talleres, exposiciones y personas que exigían su atención, Cora destilaba autoridad, entusiasmo y una calidez increíble. Yo tenía apenas 30 años de edad, relativamente nueva en el campo de la construcción de la paz, y sin embargo, esta decana de renombre mundial de activismo por la paz me trató como una igual. Ella se ganó mi respeto y confianza inmediatamente.

Desde entonces, hemos trabajado juntas de manera cercana.

Durante 1999 y 2000, Cora y yo, junto con otros colegas, trabajamos intensamente en la movilización de los gobiernos y con el apoyo del Consejo de Seguridad en lo que se convirtió en la innovadora resolución 1325 del Consejo de Seguridad de Naciones Unidas sobre la mujer, la paz y la seguridad. Hemos elaborado una estrategia y discutido, redactado y reescrito todos los documentos, en un esfuerzo por cambiar las actitudes de los miembros del Consejo de Seguridad y lograr que reconozcan las voces y experiencias de las mujeres en entornos devastados por la guerra y en el establecimiento de la paz.

En Naciones Unidas, Cora conocía a todos y todos la conocían, pero se puso a la par y trabajó con nosotras, una generación más joven de mujeres, para que las cosas sucedieran. No impuso sus puntos de vista ni su antigüedad. Todo lo contrario: recibió ideas frescas y dio crédito a quien correspondía. Estos pequeños actos pueden parecer inconsecuentes, pero fueron profundamente significativos. Al apoyarnos y alentarnos, Cora alimentó nuestra confianza para pensar y actuar con más audacia. De Cora aprendí lo que significaba dirigir con el ejemplo, practicar verdaderamente lo que predicas. Quizás lo más importante que me enseñó es que cuando las apuestas son altas, esto nos lleva a trabajar juntos para progresar colectivamente.

Nuestros esfuerzos triunfaron. En octubre de 2000, el Consejo de Seguridad de Naciones Unidas aprobó la resolución 1325. Sabíamos que era trascendental, pero no nos dimos cuenta de lo histórico y universal que sería. Habíamos luchado por el principio de las mujeres en la mesa de la paz porque nuestras colegas de Sierra Leona a Sri Lanka eran mujeres que construían la paz en medio de las guerras. Era simplemente lógico que estas mujeres tuvieran voz en el futuro de sus países. Ahora, muchos años después, la gente todavía elogia mi compromiso con esta causa. Pero como sabe Cora, cuando la causa es correcta, el compromiso y la pasión son inevitables.

Cora Weiss no se ha alejado de la controversia. En 2008 unimos fuerzas para hacer una crítica al borrador de la resolución 1820 del Consejo de Seguridad. Se suponía que la resolución sería un paso importante después de la resolución 1325 de la ONU, pero se centraba demasiado en las mujeres como víctimas de violación y no en las mujeres como constructoras de la paz, así que sentimos que denigraba el espíritu de la 1325. "Esta agenda trata de detener y prevenir todas las guerras, no hacerlas seguras para las mujeres", dijo Cora.

Los activistas por los derechos de las mujeres en todo el mundo estuvieron de acuerdo con nosotros, mientras que un diplomático en Nueva York advirtió nuestra falta de comprensión de la 1325. Lamentamos su condescendencia y ofrecimos nuestra ayuda para redactar de nuevo la resolución. El proyecto de texto nos fue enviado rápidamente y durante las siguientes 48 horas Cora y yo proporcionamos información en tiempo real. En la versión que enviamos, reafirmamos el importante papel de las mujeres en el establecimiento de la paz y se incluyeron a los hombres y los niños como víctimas de violencia sexual. (En el texto final, se menciona "civiles" porque Libia, que estaba en el Consejo, no reconoció a hombres o niños como víctimas de violencia sexual).

A través de todo este trabajo conjunto, "la formidable Cora Weiss" dio paso a Cora, mi fabulosa amiga, que conoció a mi familia y viajó a Washington, D.C. en 2014 para hablar en una ceremonia de premiación en mi nombre. Y ahora, al igual que Cora hizo por mí, estoy tratando de ser mentora de una generación más joven de mujeres de paz.

***

Me reuní con Cora en un frío día de febrero en su casa en

Manhattan para hablar de quién y qué la inspiró.

Primero, estaba su madre, que se ofreció como voluntaria para la Cruz Roja durante la Segunda Guerra Mundial. "Cuando los jóvenes llegaron a la oficina de reclutamiento para inscribirse, les traía café y donas y les deseaba lo mejor", recuerda Cora. Su madre más adelante manejó la oficina de "Roosevelt para presidente" en White Plains, Nueva York — haciendo campaña para un demócrata en un área sólidamente republicana. La madre de Cora conducía un automóvil cuando las mujeres rara vez conducían, y regresó a la universidad para obtener un doctorado. En la juventud de Cora, la Primera Dama de Estados Unidos, Eleanor Roosevelt, apareció como un modelo a seguir y más tarde fue inspirada por la antropóloga Ruth Benedict, una mujer que Cora dice "creía en hacer el mundo seguro para las diferencias humanas".

Como estudiante universitaria en la década del cincuenta, mucho antes de que la integración racial se convirtiera en un tema nacional, Cora dirigió un campo de natación mixto en Wisconsin. "Recogía a los niños negros del otro lado de las vías para unirse a los niños blancos en el campamento." No estaba tratando de ser radical, dice ella, era simplemente sentido común. "Todo el mundo debería aprender a nadar, y estos niños vivían en una ciudad con un hermoso lago".

Poco después, se ofreció como voluntaria para la campaña *Joe Must Go* dirigida a destituir al senador de Wisconsin Joseph McCarthy, quien lideraba una cacería de brujas durante la Guerra Fría acusando a estudiantes, dirigentes sindicales y otros estadounidenses de ser comunistas. Conduciendo por Wisconsin, recogiendo firmas para la campaña, Cora fue bombardeada con tomates, cáscara de maíz y papas. Aprendió una importante lección de organización. "Me acosaron porque mi carro tenía placas de Nueva York", señaló. "¡Si organizas activismo popular, tienes que ser local o al menos tener placas locales!".

A finales de los años cincuenta se casó con el abogado Peter Weiss, que vivía en Nueva York y era voluntario en las Naciones Unidas. Los movimientos africanos dirigidos a liberar a sus países del poder colonial, inspiraron a Cora y Peter, y él fue miembro fundador del *American Committee on Africa*. Los líderes progresistas africanos que apelaban a la ONU por la independencia se encontraban en la mesa de Cora, desde Eduardo Mondlane, primer presidente del Frente de liberación de Mozambique, al político anti-apartheid de Sudáfrica, Oliver Tambo. Muchos de ellos se convirtieron en sus amigos.

El sindicalista keniano Tom Mboya llegó a la puerta de Cora con un ambicioso objetivo durante su gira de 1959 en las universidades estadounidenses. Kenia debía ganar su independencia de Gran Bretaña en 1963, pero no había funcionarios kenianos para dirigir el país. En lugar de pedir honorarios por sus conversaciones, Mboya pidió becas a las universidades para enviar prometedores jóvenes kenianos a Estados Unidos para estudiar. El viaje de Mboya fue un éxito, y cientos de becas fueron prometidas a estudiantes africanos.

Cora y Peter ayudaron a establecer la *African American Students Foundation* con Cora trabajando como directora ejecutiva para recaudar más dinero para llevar a africanos a estudiar en Estados Unidos. Jackie Robinson (el primer jugador afroamericano de béisbol de las grandes ligas), Harry Belafonte (el famoso artista, productor y activista afroamericano) y Sidney Poitier (el actor afroamericano de Hollywood) ayudaron a recaudar fondos, y la *Joseph P. Kennedy Family Foundation* fue una importante donante. En 1960, tres aviones fueron fletados, para traer el segundo grupo grande de estudiantes de África a Estados Unidos. Fue una empresa enorme y, en ese entonces, controversial.

"Las organizaciones de élite en la educación internacional nos acusaron de bajar el nivel de educación porque estábamos trayendo a muchos niños de 'la maleza'", recuerda Cora. Pero como todos sus otros esfuerzos, este fue un éxito rotundo. A pesar del racismo, Cora y sus colegas llevaron a más de 800 kenianos a Estados Unidos en cuatro años. Hasta el día de hoy dice: "Cuando voy a Kenia, la gente dice 'dormí en el piso de tu salón'". Como Mboya había esperado, la mayoría de los estudiantes kenianos regresaron a trabajar como servidores públicos después de la independencia. Entre los becarios de la Fundación se encontraban Wangari Maathai, la primera mujer africana laureada con el Premio Nobel de la Paz, y Barack Obama Sr., padre del 44º presidente de Estados Unidos.

A medida que la década del sesenta avanzaba, también se sumergió en la *International Women Strike for Peace,* protestando contra las pruebas nucleares atmosféricas. "Fue entonces cuando reduje mi juego político", dice. "Aprendimos que teníamos que estudiar los temas y convertirnos en expertos para ser eficaces en la movilización de apoyo". Mientras viajaba al extranjero y marchaba por la paz con la realeza belga y activistas británicos, sus tres hijos pequeños se quedaron en casa. Llenó su congelador con cacerolas antes de cada viaje, y contrató estudiantes para ayudar a cuidar a sus tres hijos.

Un importante punto de inflexión en su vida se produjo en el verano de 1969, cuando conoció a algunas mujeres activistas por la paz de Vietnam del Norte que la invitaron a Hanói. Ese otoño, Cora Weiss copresidió la movilización para una gran protesta contra la guerra de Vietnam en Washington, D.C., y desde allí, viajó a Hanói con otras dos mujeres. Estaba decidida a desafiar la afirmación del presidente estadounidense Richard M. Nixon de que Estados Unidos debía continuar luchando porque los vietnamitas estaban torturando a prisioneros de guerra estadounidenses. Cora ayudó a formar el Comité de enlace con los milicianos detenidos en Vietnam del Norte cuyos miembros arreglaron entregar el correo a los pilotos norteamericanos derribados, con la esperanza de determinar quién estaba todavía vivo.

La acción fue un verdadero cambio de juego. Nunca antes la sociedad civil —impulsada por mujeres— había tomado tal acción por la paz. Cora atrajo la atención de los medios de comunicación y las críticas de poderosas fuerzas políticas. Avergonzó al gobierno de Nixon, cuando dijo, que "un ama de casa judía del Bronx pudiera decir al gobierno cuáles de sus soldados estaban vivos, cuando el gobierno con todo su poder, no podía".

Una gran oportunidad se presentó en 1972. Los vietnamitas querían liberar a tres prisioneros de guerra al comité. Cora pidió a Bill Coffin, el capellán de la *Yale Divinity School,* al abogado internacionalista Richard Falk, y a un joven periodista, Peter Arnett, unirse a la delegación. Desde Nueva York el grupo fue a Bangkok y tomó el vuelo a Hanoi. Cora recuerda que ambas partes en el conflicto "detuvieron sus misiles y bombardeos de tierra y aire, hasta que el avión aterrizó". La liberación de los prisioneros de guerra llegó a los titulares en todo el mundo.

Según Cora la experiencia en contra de la guerra de Vietnam le enseñó lecciones importantes. Los activistas de la paz tienen que marcar su territorio: la defensa de la paz no significa apoyar a un partido o gobierno en conflicto. Encontrar las conexiones humanas es importante. Dice que de su trabajo en Vietnam aprendió mucho de la señora Nguyen Thi Binh, jefa de la Unión de Mujeres de Vietnam del Norte. Finalmente, afirma que el trabajo por la paz requiere "soñar con hacer cosas increíblemente creativas".

Los años ochenta regresaron a Cora a los movimientos antinucleares y mujeres de ambos lados de la Guerra Fría se organizaron. Se acercó a Margarita Papandreou, la esposa estadounidense del primer ministro griego, para ayudar a reunir a mujeres estadounidenses y rusas activistas por la paz. Papandreou alquiló un barco para que pudieran elaborar estrategias sobre cómo convencer a los líderes mundiales de detener la carrera armamentista. "¡Mujeres americanas y rusas viajando juntas en un barco alrededor de las islas griegas! Finalmente negociamos y produjimos una declaración conjunta ", ríe Cora.

Su trabajo convocando a las mujeres gestoras de paz durante

la Guerra Fría prefiguró nuestro trabajo en las resoluciones del Consejo de Seguridad de las Naciones Unidas. Hoy en día nuestras redes feministas son más fuertes y tienen un alcance más amplio en todo el mundo.

Le pregunto si tiene arrepentimientos. Menciona algunos, entre ellos no haberse enfocado más en enseñar a las mujeres a hablar con confianza en público y no reconocer antes que "los ovarios por sí solos no son suficientes".

Observa que en el pasado su mantra era "mujeres, mujeres por todas partes y no suficientes en el poder". Pero en los últimos años Cora se ha vuelto cautelosa porque muchas mujeres en política son reaccionarias. El objetivo no es solo tener mujeres en el poder; también deben ser mujeres que tengan el coraje de oponerse a la guerra y luchar por la paz.

¿Su consejo a los futuros activistas? "Adoptar un enfoque holístico. El medio ambiente no se puede curar sin reducir los presupuestos militares. Los temas de inclusión y conexión no son superficiales. Es necesario ver el mundo como un todo".

En el trabajo de paz, la teoría puede abrumar la práctica, pero Cora es la excepción. Hay un hilo común en el trabajo de su vida: hacer lo que es correcto y necesario, independientemente de molestar a alguien. Invariablemente ha estado en el lado correcto y adelante de la historia, dando forma al futuro. El atardecer llama mi atención, y le hago a mi amiga una última pregunta: "¿Qué te motiva?" Cora no duda. "Pensar en el mundo que quiero dejar a mis hijos y nietos".

SANAM NARAGHI ANDERLINI es una investigadora británica de origen iraní y consultora de Naciones Unidas sobre las mujeres, los conflictos y la consolidación de la paz. Es cofundadora y directora ejecutiva de la organización no gubernamental *International Civil Society Action Network*. Junto con Cora Weiss y otros prominentes defensores de los derechos de las mujeres, presionó al Consejo de Seguridad de las Naciones Unidas para que aprobara la histórica Resolución UNSC 1325.

WANGARI MAATHAI

Wangari Maathai fue una activista medioambiental y política keniana. En 1977 fundó el *Green Belt Movement,* una organización ambiental no gubernamental dedicada a la plantación de árboles, la conservación del medio ambiente y los derechos de la mujer. En 2004 se convirtió en la primera mujer africana en recibir el Premio Nobel de la Paz por sus contribuciones al desarrollo sostenible, la democracia y la paz. En 2006, ayudó a co-fundar *Nobel Women's Initiative.* Wangari falleció en 2011.

HACER PRESENCIA, HACER LO CORRECTO, DAR LAS GRACIAS

Por Alexandra Fuller

En noviembre de 2004, fui a Nairobi, Kenia a entrevistar a Wangari Maathai, que recientemente había sido galardonada con el Premio Nobel de la Paz, convirtiéndola en la primera mujer africana en ganar el premio. Entre sus muchos otros logros, Wangari había fundado el *Green Belt Movement,* una organización de justicia social y medio ambiental que protege y establece bosques, al mismo tiempo que da a las comunidades locales donde crecen —particularmente a las mujeres que viven en sus albergues— poder político y por consiguiente poder personal.

Wangari pasó gran parte de su vida en oposición al gobierno corrupto de Daniel arap Moi, segundo presidente de Kenia. Pero cuando la conocí, Moi había sido obligado a retirarse y Wangari ocupaba el cargo de Ministra adjunta para el medio ambiente y los recursos naturales en el gobierno del presidente Mwai Kibaki. No parecía afectada por la repentina fama generada por el premio Nobel, pero definitivamente se divertía con la reacción de sus compatriotas, que se resumía en: ¡Pero todo lo que hizo fue hacer ruido y plantar algunos árboles! Tal vez estaban desconcertados porque en el este de África, los hombres belicistas generan muchos más titulares (recordar a Idi Amin de Uganda o Mengistu Haile Mariam de Etiopía) que las mujeres que promueven la paz.

En una cultura que podía ser inconcebiblemente chovinista, sofocantemente conformista y obstaculizada por el amiguismo —una vez Moi despidió a Wangari diciendo que estaba loca, acusándola de tener "insectos en la cabeza"— Wangari era refrescantemente infatigable, sensata e irreverente. Excusas, pereza y pomposidad la irritaban sin fin. "¡Oh queridos, tomen una pala, caven un agujero, coloquen un árbol en él!", les dijo una vez a un grupo de hombres vestidos elegantemente que la rodeaban en una ceremonia de plantación de árboles cerca de la Universidad de Kenia una tarde caliente y brillante durante el tiempo que estuve con ella. —"¿O vinieron a una ceremonia de plantación de árboles con un traje esperando evitar el trabajo duro?"

Me enamoré de ella en el acto.

En 2011, Wangari murió de cáncer de ovario. Tenía 71 años. Su vida, contada en la autobiografía titulada *Unbowed* (2006), fue una vida de lucha, decepción frecuente y triunfos duramente ganados. Creo que es fácil imaginar que, en alguna parte, en el fondo de su mente, ella alimentaba la idea de que un día sería reconocida por sus buenas obras, que el acoso y las dificultades que experimentó al final valdrían la pena. Pero en verdad, Wangari no tenía ni idea de que alguna vez sería reconocida por sus heroicos esfuerzos. De hecho, parecía mucho más probable que fuera silenciada para siempre por aquellos que perturbaba y enfurecía dentro de la élite establecida en Kenia.

"Realmente no sé por qué me importa tanto", dijo una vez. "Solo tengo algo dentro de mí que me dice que hay un problema, y tengo que hacer algo al respecto. Creo que es lo que yo llamaría el Dios en mí".

Un poder irreverente

En los años previos a que se convirtiera en la primera mujer africana en recibir el Premio Nobel, Wangari se pronunció a menudo y en voz alta en contra del régimen corrupto de Daniel arap Moi. Más de una vez, Moi envió soldados armados para golpearla, detenerla e intimidarla. Una vez, fue golpeada hasta dejarla inconsciente. En otra ocasión, los soldados sitiaron su casa durante tres días.

Wangari amaba la justicia y el orden. Ansiaba una sociedad en la que predominara la civilidad, la igualdad de derechos para la mujer, y el fin de la violencia del tribalismo. Pero hasta que ese fuera el caso, ella no temía las consecuencias de sus frecuentes actos de desobediencia civil. "Cuando el gobierno es malo, y actúas por el bien, eres tú quien terminará etiquetado", me dijo. "Bueno, así es. Así ha sido siempre".

Un optimismo que triunfó

"Me pongo de color amarillo desafiando el pesimismo global", me dijo una vez. Su oficina del gobierno en medio de Nairobi estaba lejos de ser glamorosa, pero colgó cuadros en las paredes, y llenó cada espacio disponible con plantas en materas. Donde quiera que fuera, su objetivo era hacer que el espacio alrededor de ella fuera más vivo, más viable y optimista.

En el punto más bajo de su vida —su marido se había divorciado de ella por ser demasiado franca y había renunciado a su trabajo en la Universidad de Nairobi para postularse a un cargo público, solo para que le dijeran que había perdido el plazo para postularse— Wangari se consoló plantando árboles.

"Bueno, sentí pena de mí durante un par de horas" me dijo. "Y entonces pensé:" Esto no me está ayudando a mí ni al mundo. "Así que me levanté de la cama, me vestí y salí a plantar árboles. No tienes que estar de buen humor para plantar un árbol".

Ferocidad humilde

Wangari era todo un acontecimiento. Cuando entraba en una habitación, no se podía evitar mirarla. Ella hablaba y uno no podía sino escucharla. Pero no era alcahueta. En una ocasión regañó a cientos de estudiantes que protestaban contra la escasez de agua en el campus. "Pusiste toda esa energía en destrozar autos y prender fuego a los neumáticos", —¿Crees que la sequía fue hecha solo para ti? Ustedes son estudiantes. Estudien el ciclo del agua. Planten árboles. Cuando llegue la lluvia, entonces ustedes pueden pedir el agua".

La charla de Wangari había sido programada para un día de noviembre y los estudiantes habían estado esperando más de una hora para escucharla. Entonces, cuando lo hizo, su táctica de apertura fue reprender al público. Yo esperaba murmullos, descontento. En su lugar, Wangari llegó al final de su reproche, sonrió a los estudiantes con una sonrisa inmensa, y después de un momento de silencio atónito, hubo una explosión de aplausos espontáneos.

Un gusto por la simplicidad

Wangari creía en soluciones sencillas. Les mostró a las mujeres cómo cultivar verduras en un saco afuera de sus propias puertas traseras, y cómo abonar todo lo orgánico en el suelo. Prefería comer los alimentos cosechados en la tierra que estaba, de la temporada. "Tratamos de forzar estos cultivos no nativos de alto rendimiento fuera del suelo en todas las épocas del año, agotamos la tierra, usamos toda el agua, engordamos. No se necesita mucho espacio para cultivar suficiente alimento para una familia, y si cultivas alimentos aptos para este suelo y este clima, no estás luchando todo el tiempo".

Una vez le pregunté cómo había llegado a su credo de sencillez. "¿Hay alguna otra filosofía?" me preguntó de vuelta. Luego se echó a reír, "Si la hay, debe haber sido inventada por gente con tiempo extra". Hubo un silencio. "Hombres", dijo.

Una paz que sobrepasa el entendimiento ordinario

No puedo pensar en Wangari sin recordar cómo su fuerza parecía conectada a una fe personal profunda. No era exageradamente religiosa; lo que observé es que era bastante científica y pragmática, pero era difícil ignorar su fe. No tenía una fe sumisa; Wangari tenía una fe resistente. Era una fe que había sido probada, una y otra vez, y que se había comprobado que era firme.

Le pregunté a Wangari cómo había lidiado con su vida, estando separada de sus tres hijos mientras buscaba trabajo fuera de Kenia, ridiculizada por sus compatriotas cuando su oposición a Moi estaba en sus niveles más polémicos, perdiendo su hogar y encontrándose sin trabajo más de una vez. Pero Wangari era optimista. Dijo que siempre sabía que si hacía solo tres cosas, todo funcionaría al final:
Haz presencia
Haz lo correcto
Da las gracias

Gracias a Wangari

Wangari abogó toda su vida por los derechos de las mujeres, por el medio ambiente y por la justicia social. Al momento de su muerte, las mujeres pobres de Kenia rural habían plantado 30 millones de árboles. Wangari comprendió que las mujeres son siempre las primeras en sufrir una degradación ambiental, porque "son las que caminan horas buscando agua, que traen leña, que proveen alimento para su familia". Tomó una idea sencilla —plantar árboles— y lo convirtió en algo universal, sostenible e inspirador.

Hacer un gran trabajo no tiene que ser un hecho complicado. De hecho, hay algo muy convincente en la solución de Wangari a la injusticia ambiental y política. Era tan simple que apenas parecía un movimiento. "Cuando empecé, era realmente una respuesta ingenua a las necesidades de las mujeres en las zonas rurales. Cuando comenzamos a plantar árboles para satisfacer sus necesidades, no había nada más allá de eso. No vi todos los aspectos con los que tendría que lidiar".

Pasé un tiempo muy corto con ella, pero pienso en Wangari con frecuencia. De hecho, "¿Qué haría Wangari?" Es una buena manera de evaluar si estoy o no actuando por temor, o por lo que ella llamaría el Dios dentro de mí. La única cosa que dejó en claro fue que el Dios dentro de ella, y el Dios dentro de mí, era el mismo. Dios fue capaz de hacer más con ella como un instrumento de paz de lo que parece posible.

ALEXANDRA FULLER es la autora galardonada de cinco obras de no ficción, entre ellas *Leaving Before the Rain Comes* y *Don't Let's Go to the Dogs Tonight*, una memoria sobre su infancia en la Rodesia desgarrada por el conflicto (el país ganó su independencia y más tarde fue nombrado Zimbabue), Malawi y Zambia. Actualmente vive en Estados Unidos.

ELIZABETH BECKER

En 1973, como corresponsal de *The Washington Post,* Elizabeth Becker se convirtió en una de las primeras periodistas occidentales en informar ampliamente sobre la guerra civil en Camboya y el surgimiento de los Jemeres Rojos. Además de periodista, es una escritora galardonada, que ha escrito varios libros, entre ellos *When the War Was Over: Cambodia and the Khmer Rouge Revolution.*

DOCUMENTANDO EL GENOCIDIO

Por Bopha Phorn

Crecí en la década de 1980 en la provincia Prey Veng de Camboya, una remota región agrícola lejos de la capital del país de Phnom Penh. Nací en una década que siguió a uno de los peores períodos de la historia de mi país: la guerra civil y la posterior sublevación del régimen de los Jemeres Rojos, que condujo a la muerte brutal de un cuarto de la población del país. Yo era una ávida lectora y escritora desde muy joven. Tenía un acceso mínimo a los periódicos, pero leía todas las noticias que pasaban por mis manos. Recogí fragmentos del pasado oscuro de mi país a través de la lectura, y quedé fascinada por los periodistas detrás de las historias. Cuando tenía 10 años supe que quería ser periodista.

Para mi familia no fue fácil aceptarlo, ya que siendo una de las dos niñas de seis hermanos de una familia camboyana relativamente tradicional, mi tarea era ayudar con las tareas del hogar y el negocio familiar. Trabajé duro para convencer a mi familia de que me permitiera ir a la escuela y estudiar, ya que sentían que había mucho trabajo "más útil" para mí en casa. Después de terminar la escuela secundaria, mi familia me presionó para no seguir estudiando. Pero estaba decidida a ser periodista. Sabía que necesitaba asistir a la universidad para lograr el trabajo de mis sueños, así que con el apoyo financiero de mi hermana, empecé un negocio de préstamos de dinero. Fue arriesgado, pero me permitió obtener la independencia financiera para completar mi educación universitaria.

No sé exactamente qué me inspiró para convertirme en periodista, sobre todo porque significaba luchar contra las convenciones de mi cultura. Sé, sin embargo, que encontré un modelo a seguir, cuya vida y trabajo me inspiraron a perseguir mi sueño a pesar de las dificultades que enfrentaba.

Descubrí a la estadounidense Elizabeth Becker mientras trabajaba en *Cambodia Daily*, décadas después de que ella cubriera por primera vez Camboya. Becker vino al país en 1972, directamente después de terminar estudios en Políticas del Sur de Asia. El país estaba hundiéndose en una horrible guerra civil, y pronto se convirtió en una corresponsal de guerra para el *Washington Post*.

De Becker aprendí mucho sobre el peor período del país, y la vi como alguien cuyo ejemplo podía seguir, en parte porque ella había escogido trabajar en una Camboya destrozada por la guerra cuando podría haber seguido una carrera más cómoda.

Becker reflexionó sobre su experiencia como corresponsal en Camboya en un artículo del *Washington Post* de 2015.

> *En ese momento Camboya estaba en medio de una guerra civil brutal, desencadenada por la lucha vecina en Vietnam. Estados Unidos estaba apoyando al gobierno corrupto; Vietnam comunista estaba apoyando a los jemeres rojos.*
>
> *Durante dos años, informé sobre un país rápidamente desfigurado por la guerra y una masiva campaña de bombardeos estadounidenses. Observé cómo la capital, antes*

elegante, se deshacía, con alambre de púas serpenteando frente a cafés, y barrios llenos de familias que huían del campo.

Cuando finalmente conseguí trabajo como periodista, estaba muy feliz de ver afiches de Elizabeth Becker en la pared de mi oficina. Las imágenes me ayudaron a persistir en mi carrera y resistir en los momentos más peligrosos o desmoralizantes. Incluso hoy en día, en un entorno mucho más estable que cuando Becker trabajaba aquí, Camboya no es un lugar amigable para los periodistas. La censura es común, los informes de los medios que no muestren bien al gobierno son desalentados, y la amenaza de la violencia está siempre presente. En una ocasión recibí amenazas tan graves de altos funcionarios gubernamentales por mi cobertura del tráfico de drogas de Camboya que tuve que abandonar mi casa por un tiempo.

Sobra decir que se necesita resolución para permanecer en esta profesión en mi país; ciertas cosas me han ayudado a mantener la mía. Una es un libro recomendado por un colega después de haber empezado a trabajar como periodista. Cuenta la historia de los Jemeres Rojos y cómo lucharon contra el dominio colonial francés, derrocaron al gobierno camboyano y luego convirtieron a Camboya en un terrible Estado autoritario. El infame líder de los Jemeres Rojos, Pol Pot, reconstruyó Camboya forzando a millones de personas de las ciudades a trabajar en las granjas comunales del campo, eliminando a los intelectuales y a otros ciudadanos considerados perjudiciales según su visión.

Cuando estaba a medio camino de leer este libro, me di cuenta que fue escrito por mi ídolo, Elizabeth Becker. El libro se llama *When the War Was Over,* y lo mantengo cerca como un recordatorio de la clase de periodista en la que estoy tratando de convertirme. No es solamente una excelente investigación de la política compleja de la época, sino que también narra una historia muy humana: la de Hout Bophana. Mientras realizaba investigaciones para el libro en Camboya en 1981, Becker descubrió cartas de amor entre Bophana y su esposo, Ly Sitha, en un expediente oficial en Tuol Sleng, la prisión secreta de los Jemeres Rojos. Las cartas y el relato de Becker sobre ellas revelan una trágica historia de amor: una pareja separada mientras huía de la guerra civil. Cada uno suponía que el otro había muerto, cuando en realidad Bophana había escapado a una ciudad provincial, donde fue violada por un soldado camboyano, quedó embarazada y dio a luz un hijo, y Ly Sitha se había escapado a un monasterio para evitar ser reclutado.

La pareja se encontró años más tarde, después de haber sido forzados a estar, por circunstancias que no podían controlar, en extremos opuestos de la jerarquía del régimen de los Jemeres Rojos. Ly, un combatiente de estos, y Bophana, una ciudadana educada y desafiante del régimen que había sido derrotada. Las circunstancias mantenían a la pareja apartada, pero seguían escribiéndose, haciendo planes para escapar y poder estar juntos. Finalmente, Bophana y Ly Sitha fueron capturados, torturados y asesinados por separado a causa de sus cartas.

En *When the War Was Over,* Becker explica por qué el profundo amor de Bophana era peligroso para el régimen:

> *Los jemeres rojos estaban amenazados por todas las expresiones de amor: entre marido y mujer, padres e hijos, amigos y colegas. Todo el mundo tenía que renunciar a las relaciones íntimas... Al escribir el uno al otro, Sitha y Bophana se habían negado a vivir una vida solitaria, aislada y emocionalmente estéril. Ese fue quizás el mayor crimen de Bophana.*

La prisión de Tuol Sleng es ahora un museo en Phnom Penh. Dos veces al día, el museo muestra una película basada en la historia de Bophana; se ha convertido en un símbolo de las vidas camboyanas destruidas debido a complejas batallas geopolíticas e ideológicas fuera de su control. Los camboyanos conocen la historia de Bophana, y todo lo que simboliza, a causa de Elizabeth Becker.

También me inspira la decisión de Becker de regresar regularmente a Camboya. Ella dejó el país en 1974, desilusionada por toda la destrucción que había presenciado como corresponsal de guerra, temiendo que la situación empeoraría (como efectivamente sucedió), y planeando seguir adelante con su carrera. Sin embargo, durante los años siguientes, escuchó historias inquietantes sobre los jemeres rojos, sobre las evacuaciones forzadas y las ejecuciones. Las noticias eran escasas porque el régimen había cortado las conexiones con el mundo exterior. Pienso que la falta de información proveniente del país pudo haber empujado a Becker a regresar: pudo haber temido que la verdad espantosa no la supiera el resto del mundo si no iba ella misma a investigar e informar.

Tomó varios años y muchas negociaciones, pero en 1978 obtuvo una visa de periodismo. En un artículo de 2015 para el *Washington Post,* Becker escribe: "Llevando una de las dos únicas visas de periodista emitidas por el régimen de los Jemeres Rojos, pasé dos semanas bajo una vigilancia exhaustiva, investigando las historias que había oído de los refugiados acerca de los vastos campos de trabajo, cámaras de tortura y ejecuciones sumarias".

Toda la visita de Becker fue controlada y le quedaba muy poca libertad para realizar investigaciones. En el último día de su visita se le concedió una rara entrevista con Pol Pot. Describe su tiempo con él como un monólogo durante el cual no se le permitió hablar, pero gracias al cual pudo comprender las profundidades del fanatismo y carisma de Pol Pot, y cómo el país había descendido tan profundamente en un horror de otro modo inexplicable.

Más tarde esa misma noche, un atacante armado entró en la

casa de huéspedes donde ella y sus colegas se alojaban. "Nos asaltaron justo pocas horas antes de la hora programada para viajar", escribió. "Cuando un funcionario camboyano finalmente me rescató, me enteré de que mi colega, el académico Malcolm Caldwell, había sido asesinado, le habían disparado varias veces a quemarropa... Aunque no puedo probarlo, creo que alguien en el gobierno se había opuesto a nuestro viaje y quería callarnos".

Perder a un colega y apenas escapar con vida debe haber sido muy traumático para Becker. Pero no la detuvo: regresó a Camboya varias veces durante los siguientes seis años para realizar investigaciones para *When the War Was Over*.

Luego, décadas más tarde, regresó para testificar en una Corte camboyana creada bajo un acuerdo entre el gobierno y las Naciones Unidas. Con el fin de llevar justicia a los camboyanos y promover la reconciliación nacional, la Corte fue formalmente establecida en 2006 y lleva a juicio a los altos dirigentes y a los responsables de los crímenes de hambre, tortura, ejecución y trabajo forzado cometidos durante el tiempo de los Jemeres Rojos.

De la petición de la fiscalía para que testificara, Becker explica en su artículo del *Washington Post* en 2015:

> *Fui la única periodista occidental que presenció la devastadora guerra civil camboyana y el régimen de los Jemeres Rojos que vino a continuación. Había hecho entrevistas exclusivas a altos funcionarios, que habían confesado el uso de cámaras de tortura y trabajo forzado bajo condiciones horribles. Había investigado docenas de camboyanos que habían sido arrestados, torturados y asesinados.*

Es una decisión difícil para un periodista participar como

testigo. En el mismo artículo, Becker escribe sobre el dilema: "Si los dictadores y criminales de guerra supieran que los periodistas podían testificar contra ellos en el tribunal, ¿serían más frecuentes los ataques como el que yo había experimentado?". Finalmente decidió que necesitaba participar. "Con Bophana en mi mente, estuve de acuerdo en testificar. Había tenido el privilegio, como periodista, de recopilar material y experiencias que nadie más tenía. Eso conlleva responsabilidad. También quería honrar los sistemas jurídicos que lentamente traían justicia a países como Camboya".

Becker fue invitada por la fiscalía a comparecer como experta en el juicio de dos de los supervivientes más antiguos del régimen: el diputado de Pol Pot, Nuon Chea, y Khieu Samphan, ex jefe de Estado, ambos acusados de genocidio, graves violaciones de los Convenios de Ginebra de 1949 y crímenes de lesa humanidad. Su caso se dividió en dos componentes, el primero de los cuales terminó en agosto de 2014 con condena por crímenes de lesa humanidad y sentencias de cadena perpetua, que luego apelaron. La aparición de Becker está vinculada a la segunda parte del caso. En febrero de 2015, fue a los estrados, una experiencia que describe como difícil y a veces abrumadora.

"Cada día, siete personas brutalizadas por el régimen se sentaban en la sala del tribunal. Siempre que me sentía abrumada, me tranquilizaba mirar sus rostros, sabiendo que habían pedido al tribunal que hiciera justicia".

El coraje de Becker me habla a un nivel profundamente personal. En 2012, mientras estaba investigando las denuncias de tala ilegal y explotación ambiental en un área protegida de Camboya con otro periodista, Olesia Plokhii, y un activista medioambiental, Chut Wutty, hombres armados comenzaron a disparar a nuestro vehículo con AK-47. Chut recibió un disparo, y aunque intentamos salvarlo, murió. Todavía no tengo fuerzas suficientes para regresar a la provincia donde ocurrió el incidente. Becker ha enfrentado situaciones peores en mi país y aún así está dispuesta a volver para buscar la verdad y trabajar por la justicia.

Siento tanta pasión de ser periodista que creo que si tuviera que parar, dejaría de respirar. Así que me hago un poco la ciega ante los peligros, y también sorda ante los retos de ser una reportera en un lugar donde colegas y funcionarios del gobierno me preguntan frecuentemente acerca de mi edad y mi estado civil. Gracias al ejemplo de Elizabeth Becker y de otros valientes periodistas, mantengo mi sueño de ser periodista y aspiro a convertirme en el tipo de persona de la que ella estaría orgullosa.

BOPHA PHORN es una periodista camboyana independiente que ha escrito para *The Cambodia Daily* y para otras publicaciones. En 2013 ganó el premio *Courage in Journalism* de la *International Women's Media Foundation* por su trabajo investigando las denuncias de tala ilegal en un área protegida de la selva camboyana.

GLORIA STEINEM

Gloria Steinem es una de las feministas más influyentes y determinantes del siglo pasado. Nacida en Estados Unidos, Steinem empezó siendo periodista y llegó a ser una prominente líder del movimiento de mujeres en los años sesenta. Ahora, con 81 años, Steinem sigue escribiendo y hablando sobre temas que afectan a las mujeres en todo el mundo, incluyendo la paz y la seguridad.

HACIA UNA POLÍTICA EXTERIOR FEMINISTA

Por Valerie M. Hudson

El nombre de Gloria Steinem se ha convertido en sinónimo de feminismo, pero también es cierto que su vida ha sido dedicada a la causa de la paz. En su cumpleaños número 81, se unió a un grupo de 30 mujeres gestoras de paz que marcharon (o intentaron marchar) a través de la Zona Desmilitarizada (DMZ) que separa las dos Coreas, para resaltar el estancamiento político-militar allí. Dos premios Nobel, Mairead Maguire y Leymah Gbowee, también marcharon. Esto no fue una oportunidad orquestada para hacer fotos. Steinem explicó que habían llegado sin saber si realmente se les permitiría cruzar o no, y que era "extraordinario" que dos gobiernos opuestos les hubieran dado el permiso para hacerlo. "Las mujeres de Corea del Norte y del Sur no pueden caminar por la DMZ legalmente", dijo. "Nosotras, que venimos de otros países si podemos. Así que siento que caminamos en su nombre".

Atreverse a imaginar la paz es un acto profundamente subversivo, y siempre lo ha sido. Mientras que Steinem ha contribuido a la construcción de un mundo más pacífico de muchas maneras, como la marcha de la DMZ, una de sus principales contribuciones ha sido prever, articular y ayudar a realizar un mundo donde la guerra mundial contra las mujeres termine.

Poner fin a la guerra contra las mujeres no es un añadido ni una tangente a la causa de la paz entre razas, pueblos y naciones, es la condición previa para tal paz. No puede haber paz entre las naciones hasta que no haya paz entre las dos mitades de la humanidad, las madres y los padres de todos los que están vivos y de todas las siguientes generaciones. Esta comprensión es el gran regalo que Steinem ha dado a tres generaciones de la humanidad hasta ahora, un regalo que transmitiremos a nuestros propios hijos.

Steinem ve una conexión entre lo que hemos elegido normalizar en las relaciones hombre-mujer y lo que vemos a nivel de Estado y sociedad. "La familia es la célula básica del gobierno", explica, "es donde somos entrenados para creer que somos seres humanos o que somos bienes muebles, es donde somos entrenados para ver las divisiones de sexo y raza y convertirnos en resistentes a la injusticia, incluso si se comete contra nosotros, para aceptar como biológico un sistema completo de gobierno autoritario".

Entonces, no debemos sorprendernos de que las sociedades enraizadas en la dominación masculina sobre las mujeres no sean pacíficas o democráticas; como señala: "Nunca vamos a tener países democráticos o pacíficos hasta que tengamos familias democráticas o pacíficas". ¿Por qué? Porque debes enseñar a los hombres a dominar para mantener un sistema dominado por los hombres. Y esa es una educación muy peligrosa, de hecho, donde los primeros en ser dominados son aquellos dentro de las familias de los hombres que son diferentes de ellos: las mujeres. La violencia doméstica es la semilla de toda otra violencia basada en la diferencia. "Esta es la primera forma de violencia, de dominación, de poder que vemos cuando somos niños", explica Steinem. "Normaliza cualquier otra forma".

Esta educación en la dominación no solo perjudica a las mujeres, sino también a los hombres. Steinem dice que cuando habla con grupos de hombres, ellos suelen plantear cómo los papeles masculinos los han limitado, y cómo perdieron la oportunidad de ser padres amorosos, ya que sus padres siempre estaban tratando de encajar en un ideal de masculinidad que no incluía eso. Debido a que a los hombres se les ha enseñado que tienen que "probar" su masculinidad de una manera que las mujeres no lo hacen, y porque la masculinidad ha sido construida sobre nociones de dominación y control, la vida de los hombres puede fácilmente llegar a ser inhumana. Es una vida que no trae una felicidad duradera. De una manera, entonces, el feminismo es humanismo, pues trata de liberar tanto a hombres como a mujeres de roles sexuales destructivamente distorsionados.

Steinem sostiene que las mujeres tenderán a ser mucho mejores gestoras de paz hasta que el rol masculino sea humanizado. Las mujeres son parte integrante de la consolidación de la paz, pues no han sido marginadas por la necesidad de demostrar su rol sexual a través del conflicto y la agresión. Steinem señala que la gente pensaba que lograr la paz en Irlanda y en Liberia sería imposible, pero en ambos países las mujeres de ambos bandos comenzaron a trabajar juntas e hicieron lo imposible—lograron la paz.

Si la paz no se puede construir sin las mujeres, entonces uno de los pasos más importantes que se podrían tomar para asegurar un mundo más pacífico sería el empoderamiento de las mujeres en todo el mundo:

> *La reducción mundial de la violencia contra las mujeres debe ser un objetivo fundamental de nuestra política exterior. Debe ser, dado su resultado, algo demostrable en cada uno de los principales países del mundo. ... En su lugar, lo que sucede es el principio "sería bueno" — "Sería bueno que las mujeres tuvieran un trato más igualitario en*

Afganistán, pero no es importante". Y muchos de nuestros funcionarios han dicho específicamente que los derechos de las mujeres no tienen nada que ver con el nacionalismo, las conferencias de paz, los procesos de paz, todo tipo de cosas. Podríamos, por ejemplo, hacer cumplir la resolución 1325 del Consejo de Seguridad de las Naciones Unidas... Tenemos el principio, pero solo en el papel, no se promulga.

En una entrevista que le hice en 2013, Steinem abrió mis ojos a lo inmensamente diferente que sería nuestra política exterior si tomáramos en serio la causa de las mujeres. Contó un incidente que sucedió justo después de la invasión soviética a Afganistán en 1979. Asistió a una reunión informativa de organizaciones de mujeres en un auditorio del Departamento de Estado hacia el final del mandato del presidente Jimmy Carter. Aunque el tema era para una próxima conferencia de mujeres de la ONU y Afganistán no se mencionaba, los soviéticos habían entrado en Kabul ese mismo día. Los periódicos estaban llenos de artículos sobre los *mujahideen* —los guerrilleros islámicos en Afganistán— y su declaración de guerra contra su propio gobierno apoyado por los soviéticos. Sus líderes dieron tres razones por las cuales querían expulsar a los soviéticos: a las niñas se les permitía ir a la escuela, niñas y mujeres ya no podían casarse sin su consentimiento, y se invitaba a las mujeres a las reuniones políticas.

Durante la discusión que siguió a la reunión, Steinem se levantó y planteó una pregunta obvia a sus anfitriones del Departamento de Estado: Teniendo en cuenta lo que los propios *mujahideen* habían dicho ese día, ¿no estaba Estados Unidos apoyando al lado equivocado? Steinem recuerda cómo la pregunta cayó en ese silencio particular reservado para lo ridículo. No recuerda la respuesta exacta, pero el Departamento de Estado dejó claro que Estados Unidos se oponía a todo lo que los soviéticos apoyaban. El portavoz del gobierno no mencionó que Estados Unidos estaba armando a extremistas religiosos violentos, antidemocráticos y misóginos.

Estaba claro que las cuestiones de guerra y paz eran sobre *realpolitik* y oleoductos, y no sobre honrar los derechos humanos de la mitad de la raza humana más pacífica: las mujeres. Y sucedió que los *mujahideen* emprendieron su guerra brutal con las armas suministradas por Estados Unidos y, por supuesto, Arabia Saudita —el lugar de nacimiento de la interpretación doctrinaria del Islam conocida como wahabismo. Juntos, ellos crearon a los talibanes, al-Qaeda y otras redes terroristas afiliadas que ahora llegan mucho más allá de las fronteras de Afganistán. Steinem dice que nunca ha dejado de lamentar que no se encadenara a los asientos de ese auditorio del Departamento de Estado en señal de protesta.

El feminismo, entonces, cuando lo miramos como lo hace Steinem, como el reconocimiento de la plena humanidad y la plena igualdad de hombres y mujeres, es el trabajo de paz. Cuando el presidente Barack Obama otorgó a Steinem la Medalla Presidencial de la Libertad en 2013 por su trabajo en pro de los derechos de la mujer y los derechos civiles, ella hizo explícita la conexión entre los dos diciendo que la medalla significaba tanto porque era, de alguna manera, paz. Explicó que la división de género, en la que hay un sujeto y un objeto, un masculino y un femenino, un dominante y un pasivo, es lo que normaliza otra violencia que tiene que ver con raza y clase, y etnicidad y sexualidad. La idea de los hombres de que deben vencerse mutuamente para ser masculinos, explicó, "es la raíz de la falsa idea de que estamos clasificados como seres humanos en lugar de estar vinculados".

Steinem sostiene que hay una mejor visión, una aceptación de la diferencia sin jerarquía. Cuando nos encontramos con esa primera diferencia entre el hombre y la mujer, se nos plantea una profunda elección: podemos clasificar a los que son diferentes, o podemos vincularlos. Steinem nos insta a elegir la segunda: "La diferencia es la fuente del aprendizaje... La diferencia es un regalo para que entendamos y no temamos... Vivimos en un mundo de 'esto / o lo otro'. Estamos tratando de hacer un mundo de 'y'. Así que se trata de la humanidad compartida en perfecto equilibrio con la diferencia".

Steinem se describió una vez como una "esperanzaholic", que parece una muy buena manera de describir a los gestores de paz. Es una vida llena de aspiraciones incorregibles por un mundo mejor, y la tenacidad de trabajar para su realización. Parte de esta esperanza es que un día nuestra visión parezca obvia para todos: "Creo que ser feminista significa ver el mundo completo en lugar de la mitad. No debería necesitar un nombre, y un día no lo tendrá".

¿Y en cuanto a la misma Steinem? "Espero vivir hasta los 100. Hay tanto que hacer".

VALERIE M. HUDSON es profesora y una escritora galardonada nombrada como una de las cien mejores pensadoras mundiales por *Foreign Policy* en 2009. Ha escrito y ha sido coautora de una serie de libros centrados en el género y la política exterior, incluyendo *Sex and World Peace* (2012), en el que describe cómo la seguridad de la mujer es un factor clave en la seguridad y la paz del Estado. Es la fundadora de *The WomanStats Project*, que busca desarrollar la base de datos más completa sobre la situación y la condición de las mujeres en todo el mundo. Recientemente, es coautora de *The Hillary Doctrine: Sex and American Foreign Policy.*

BETTY OYELLA BIGOMBE

Betty Oyella Bigombe fue una figura clave en las negociaciones de paz con el *Lord's Resistance Army* en Uganda a partir de los años noventa, actuando como la principal mediadora entre el *LRA* y el gobierno ugandés, incluso manteniendo conversaciones con el líder rebelde Joseph Kony. Actualmente es directora principal de fragilidad, conflicto y violencia del Banco Mundial.

LA FUERZA DEL PODER "SUAVE"

Por Doreen Baingana

He intentado imaginar a una mujer en un vehículo lleno de gente, avanzando lentamente a través de arbustos gruesos. Ella es la única mujer en un grupo de ancianos de la aldea y líderes religiosos. Han dejado la ciudad más cercana, Gulu, en el norte de Uganda, a kilómetros de distancia, pasando por pueblos dispersos y llenos de cabañas, y ahora solo el sonido de su carro que se tambalea entre la larga hierba de los elefantes, las llamadas de pájaros, el incesante sol seco de la sabana y sus propios pensamientos temerosos que llenan el aire. La mujer es Betty Oyella Bigombe, y ha persuadido a estos hombres para que se le unan para encontrarse con uno de los hombres más mortíferos de la historia reciente, el líder rebelde Joseph Kony. Esperan persuadirlo para que hable de paz con el gobierno ugandés. ¿Por qué extraña razón haría esto?

Las mujeres que optan por participar en la arena predominantemente masculina de la guerra me fascinan. Fue el interés reciente por otra mujer que desempeñó un papel importante en la guerra en Uganda que me llevó a Betty Bigombe. Durante los últimos dos años he estado escribiendo una novela sobre Alice Lakwena, una líder rebelde que luchó contra el gobierno en 1987-88. Ella creía que había sido ungida por el Espíritu Santo para llevar una guerra santa para limpiar Uganda del mal e iniciar una autoridad justa. Fue derrotada, pero los restos de su ejército se unieron a un joven llamado Joseph Kony, que pertenecía al mismo grupo étnico Acholi y formó el ya conocido *Lord's Resistance Army* (LRA). Él también afirmó estar en una misión santa para derrocar al gobierno y gobernar Uganda de acuerdo con los Diez Mandamientos. Betty Bigombe hizo dos intentos importantes para poner fin a esta guerra de guerrillas al reunir a dos bandos opuestos en la mesa de negociaciones.

Es amargamente irónico que los métodos de Kony hayan sido exactamente lo contrario de los Diez Mandamientos. Su grupo es famoso por asaltar y quemar pueblos, asesinar a decenas de miles de civiles, desplazar a cerca de dos millones de personas y secuestrar y reclutar a más de 20.000 niños. Muchas de las niñas capturadas fueron obligadas a convertirse en esclavas sexuales. El terror causado por Kony y el LRA llevó al gobierno a reunir a la mayoría de la población Acholi lejos de sus hogares, en campamentos, supuestamente por su propia seguridad. La guerra civil devastó gran parte del norte de Uganda durante unos 20 años.

Veo a dos poderosas mujeres Acholi de pie como sujetalibros a ambos lados del periodo de tiempo del malvado Kony en la historia de Uganda. Alice Lakwena creía realmente que la paz podía venir a través de una guerra "justa". Betty Bigombe cree lo contrario: que la paz se logra por medios pacíficos, sobre todo a través del diálogo.

Bigombe comenzó su trabajo de paz mucho antes de que la brutalidad de Kony alcanzara su apogeo. En 1988, el presidente Yoweri Museveni la nombró Ministra de Estado por el Norte para representarlo en esfuerzos de la paz. En ese momento ella estaba trabajando en proyectos de desarrollo en África, y al principio rechazó el cargo. El presidente había elegido a Bigombe porque era una de las pocas Acholi influyentes que apoyaban a su nuevo gobierno. La forma brutal en que el ejército de Museveni trató de sofocar la rebelión en el Norte había causado tensiones y desconfianza generalizadas. Después de evaluar el daño causado por las fuerzas gubernamentales en el Este y el Norte, Bigombe finalmente accedió a asumir el cargo de gestora de paz.

Desde el principio hubo resistencia a sus esfuerzos de todas partes. Los oficiales del Ejército preferían combatir a los rebeldes que entablar un diálogo, entre otras cosas porque supuestamente se beneficiaban financieramente de los recursos que alimentaban la guerra civil. Los rebeldes afirmaron que al nombrar "solo una niña" para iniciar los esfuerzos de paz, el gobierno había demostrado que no era serio en llegar a un acuerdo. Bigombe también fue llamada traidora porque, aunque era Acholi, que es del Norte, trabajaba para un gobierno "sureño".

Nada de esto disuadió a Bigombe. Lo que más me inspira y me fascina es que utilizó métodos que se perciben como "femeninos" y, por lo tanto, de alguna manera, menos eficaces, para lograr que las partes beligerantes se sentaran juntas, lo que en sí mismo fue una hazaña importante.

Bigombe se tomó el tiempo para ganar la confianza de todas las partes. Consultó ampliamente en los campamentos de los desplazados, escuchando las historias de guerra de la gente local e incluso comprándoles comida y licor para "aflojar sus lenguas y abrir sus mentes", como dice. También bailaba con ellos alrededor del fuego comunal cada tarde, como es costumbre, y los animaba a criticar a los líderes, de modo que pudiera llevar sus preocupaciones y mensajes a un nivel más alto.

Finalmente, Bigombe se adentró en el monte con seis líderes religiosos, todos profundamente temerosos, para reunirse con Kony y sus soldados en su mayoría adolescentes y a menudo drogadictos. Ambos bandos hablaron en la noche. Después de seis encuentros similares, con Kony ahora refiriéndose a ella como *Mummy Bigombe*, y dos años de trabajo incansable en 1992-94, ella realmente persuadió a los rebeldes y representantes del gobierno a aceptar un acuerdo de paz. Los críticos que dijeron que Bigombe no era lo suficientemente fuerte o que no tenía suficiente autoridad para negociar la paz —ataques no demasiado sutiles basados en su feminidad— quedaron avergonzados. "*Soft power*" había conseguido que las dos partes fueran a la mesa de negociaciones por primera vez.

Para la amarga decepción de Bigombe, el presidente Museveni, aconsejado por sus oficiales del ejército, suspendió las conversaciones de paz apenas dos semanas antes de que se firmara el acuerdo. Aún así, sus esfuerzos no fueron en vano, porque los ataques y las atrocidades cesaron mientras el proceso de paz avanzaba, salvando un número incalculable de vidas. No era de extrañar que el gobierno nombrara a Bigombe "Mujer ugandesa del año" en 1994.

Betty Bigombe dejó Uganda para hacer una maestría en administración pública en Harvard, y más tarde comenzó a trabajar en el Banco Mundial. Pero su corazón se quedó en casa. Diez años después, desde la comodidad de su casa en los suburbios de Maryland, vio su propia cara en la televisión. Era una noticia sobre un ataque del ejército de Kony a un pueblo en el noreste de Uganda, llamado Barlonya, donde más de 200 personas habían sido masacradas. El locutor dijo que solo una persona había logrado persuadir al ejército de Kony a hablar de paz diez años antes: Betty Bigombe. Después de ver esa historia, decidió dejar su trabajo en el Banco Mundial y a sus dos hijos en Estados Unidos, y regresar a Uganda para darle otra oportunidad a la paz. Esta vez, sin embargo, tendría que confiar en sus propios recursos porque no era una representante del gobierno.

Me pregunto si, en los zapatos de Bigombe, habría tomado la misma decisión. Por casualidad, asistí a la misma escuela secundaria que ella, Gayaza High School en Kampala, la primera escuela internado de niñas en Uganda, aunque muchos años después. Menciono esto no solo porque estoy orgullosa de esta ligera conexión, sino también porque ella ejemplifica absolutamente el lema de nuestra escuela: "Nunca te rindas". Mientras que para muchos de nosotros es simplemente un lema para sentirse bien, Betty Bigombe ha vivido estas palabras a carta cabal. En lugar de encogerse de hombros ante otra terrible noticia, como la mayoría de nosotros hacemos, empacó sus maletas y cambió de país para tratar de hacer algo al respecto otra vez.

Al igual que muchos ugandeses, estoy casi acostumbrada al

conflicto, de modo que no me afecta directamente a mí y a los míos. No estoy orgullosa de admitirlo. Viví el reinado de terror de Idi Amin, y los cambios caóticos en el liderazgo que siguieron, la guerra del Monte de cinco años de Museveni y su golpe de estado en 1986, luego de sus 30 años en el poder (aunque pasé algunos de esos años fuera de Uganda), que incluye la guerra rebelde de 20 años en el Norte. Muchos de nosotros hemos sobrevivido a esta confusión al separarnos de la política y concentrarnos en nuestras vidas personales, manteniendo las cosas lo más normales posible mientras estudiamos, trabajamos y criamos a nuestros hijos. Y, de hecho, logramos llevar vidas felices y satisfactorias aquí mismo, a pesar de los titulares de prensa. Pero hay algunas personas especiales como Betty Bigombe, que simplemente no pueden darle la espalda a la tragedia pública, que se sienten obligados a tratar de ponerle fin.

Bigombe probablemente no imaginó que su mudanza significaría dos años lejos de su familia. Viviendo sobre todo en un hotel en Gulu, intentó una vez más traer a las dos partes en conflicto a negociar. Pasó mucho tiempo en el teléfono: persuadiendo, alentando, regañando y escuchando pacientemente a todos. En algunos casos, incluso utilizó su considerable encanto para convencer a los oficiales del ejército de impedir nuevos ataques.

Una vez una periodista reportó haber ido con ella a una reunión con los rebeldes. Cuando llegaron a un remoto lugar lleno de arbustos, inmediatamente fueron rodeadas por muchachos jóvenes, apenas adolescentes, pero fuertemente armados, con los dedos en los gatillos. Bigombe les ofreció un saco de arroz, el cual miraron con mucha hambre. No lo aceptaron, pero la puerta de la confianza había sido abierta. Los rebeldes seguían pidiéndole suministros y ella enviaba lo que podía, usando su propio dinero, con asistencia de grupos de ayuda. Los críticos dijeron que estaba siendo manipulada, pero sabía que si los rebeldes tenían lo básico, tendrían menos necesidad de asaltar y saquear aldeas. Este pensamiento práctico y aterrizado no solo salvó vidas, sino que también llevó a las partes a confiar y sentir buena voluntad hacia ella y sus esfuerzos.

Bigombe ha dicho que a veces, el silencio era el arma más eficaz en su arsenal. Recuerda una conversación telefónica con el presidente Museveni cuando él expresó una impaciencia total con las demandas de los rebeldes, que incluían la retirada completa del ejército del norte de Uganda. Él hablaba y hablaba, pero Bigombe no respondía. Simplemente dejó que siguiera y cuando se detuvo, no dijo una palabra. Fue su silencio el que finalmente cortó su ira, su silencio que decía mucho, en efecto: —¿De verdad quiere explotar todo o usted quiere avanzar hacia la paz?

El valiente y desinteresado trabajo de Bigombe llevó a detener las atrocidades. El número de niños secuestrados disminuyó drásticamente desde 2004. Sus esfuerzos sentaron las bases para las "Conversaciones de Juba" entre el gobierno de Museveni y una delegación del *Lord's Resistance Army* en 2007, lo que llevó a un importante, aunque temporal, alto el fuego. Los LRA fueron finalmente expulsados de Uganda, pero todavía realizan ataques dispersos en regiones remotas de la República Centroafricana y la República Democrática del Congo.

Betty Bigombe regresó a sus hijos en Estados Unidos y todavía trabaja para la paz como Directora Principal de Fragilidad, Conflicto y Violencia en el Banco Mundial. A su capacidad como investigadora y diseñadora de políticas, también aporta grandes habilidades como practicante que ha estado en las trincheras y que se ha ensuciado las manos. Mi esperanza es que sus llamados métodos de poder blando ya no se consideren poco ortodoxos, sino que puedan convertirse en el centro de los esfuerzos de paz en todas partes. Mi otra esperanza es que al escribir sobre las mujeres en la guerra, como Betty Bigombe, estoy contribuyendo, de mi propia manera poco ortodoxa, a la paz.

DOREEN BAINGANA es una autora galardonada y editora de Uganda. Su colección de cuentos, *Tropical Fish*, ganó el premio del primer premio de la Commonwealth en 2006.

HELEN CALDICOTT

Helen Caldicott es una médica australiana y una de las líderes anti-nucleares del mundo. Es una oradora internacionalmente reconocida que ha escrito sobre los peligros de la era nuclear para la salud de las personas y para el medio ambiente. Es la presidenta de *The Helen Caldicott Foundation*, que busca crear conciencia sobre los peligros de la energía nuclear y promover un mundo libre de dicha energía y de armas.

INSPIRACIÓN PARA TENER EL PRIMER PAÍS LIBRE DE ARMAS NUCLEARES

Por Marilyn Waring

Si usted hubiese crecido en Nueva Zelanda o Australia después de la Segunda Guerra Mundial, posiblemente sabría que los Estados Unidos usaron las islas Marshall como sitio de ensayos nucleares desde 1947 hasta 1962.

En un acuerdo firmado con las Naciones Unidas, el gobierno de Estados Unidos mantuvo las islas Marshall como "territorio confiable" y detonó artefactos nucleares en las prístinas áreas del océano Pacífico, causando en algunos casos enormes niveles de radiación, efectos sobre la salud, y el desplazamiento permanente de mucha gente de las islas. En total, el gobierno de Estados Unidos concluyó 105 pruebas tanto bajo el agua como atmosféricas.

También sabría que los británicos concluyeron siete pruebas atmosféricas entre 1950 y 1963 en tierra tradicionalmente aborigen, en Maralinga, Australia.

Puede ser que haya leído la novela de Neville Shute de 1957 *En la playa*, en la cual la gente en Melbourne, Australia espera que la radiación mortal se esparza debido a una guerra nuclear en el hemisferio norte. Este libro le causó un impacto memorable a Helen cuando lo leyó siendo una adolescente. Unos años más tarde, siendo yo adolescente, leí el libro clásico de Bertran Russell *Guerra nuclear*.

Tanto Helen como yo, vimos *El juego de la guerra*, de Peter Watkin, un documental de la BBC acerca de la guerra nuclear y sus consecuencias en una ciudad inglesa. En Nueva Zelanda fue prohibido para niños a menos que fueran acompañados por un adulto, de tal forma que tuve que pedirle a mi padre que me llevara. *El juego de la guerra* ganó el premio Oscar por mejor documental en 1965.

Francia comenzó su serie de más de 175 ensayos nucleares en Mururoa, en el Pacífico Sur en 1966. Al menos 140 de dichos ensayos fueron bajo tierra. En 1973, los gobiernos de Nueva Zelanda y Australia llevaron a Francia a la Corte Internacional por sus ensayos atmosféricos continuados y forzaron a que las últimas pruebas fueran bajo tierra. Finalmente los ensayos terminaron en 1976.

En Nueva Zelanda, el Ejército de Estados Unidos realizó visitas regulares entre 1976 y 1983 con naves que funcionan con energía nuclear y muy probablemente con armas nucleares. Estas visitas produjeron espectaculares flotas de protestas en los puertos de Auckland y Wellington, donde cientos de neozelandeses —en yates de todos los tamaños, en barcos de motor y canoas, incluso en tablas de surf— rodearon las naves y trataron de detenerlas. En 1978 comenzó una campaña para declarar la ciudad y el ayuntamiento libres de armas nucleares, y a principios de la década de los ochenta, este movimiento simbólico ganó impulso rápidamente, cubriendo más de dos tercios de la población de Nueva Zelanda.

Helen Caldicott y yo no nos habíamos conocido pero compartíamos parte de nuestra historia y conciencia, cuando Helen visitó Nueva Zelanda en 1983.

***

Helen Caldicott se graduó de médica de la Escuela de Medicina de la Universidad de Adelaida en 1961. Se trasladó a Estados Unidos, convirtiéndose en instructora de pediatría en la Escuela de Medicina de Harvard y fue parte del equipo del *Children's Hospital Medical Centre* en Boston Massachusetts. A finales de los setenta, fue Presidenta de Médicos de Responsabilidad Social, grupo fundado cuando Helen estaba terminando la escuela de medicina, haciendo rápidamente su marca, documentando la presencia de Strontium-90, un producto de desecho altamente radioactivo en los dientes de los niños, debido a las pruebas nucleares atmosféricas. Este hallazgo se convirtió en un hito que llevó al tratado de *Limited Nuclear Test Ban*, que terminó con los ensayos nucleares en la atmosfera.

Pero fue el accidente en la isla Three Mile, el que cambió la vida de Helen. Una falla en un equipo generó una pérdida de agua de refrigeración del núcleo del reactor de la Estación de Generación Nuclear de la isla Three Mile en Pensilvania, causando una fusión parcial. La falla del generador significó que 700.000 galones de agua radioactiva de refrigeración terminaran en el sótano del edificio del reactor siendo el accidente nuclear más grave hasta ese momento en Estados Unidos. Helen publicó *Locura nuclear* el mismo año. En él escribió "como médico, sostengo que la tecnología nuclear amenaza con la extinción de la vida en nuestro planeta. Si continúan las tendencias actuales, el aire que respiramos, los alimentos que comemos y el agua que tomamos, pronto estarán contaminados con polución radiactiva, suficiente para representar una potencial amenaza para la salud, mucho mayor que cualquier plaga que la humanidad haya experimentado nunca". En 1980, Helen renunció a su trabajo pago para dedicarse tiempo completo a la prevención de una guerra nuclear.

En 1982, el director canadiense Terre Nash filmó una conferencia de Helen Caldicott a estudiantes del estado de Nueva York. El documental de Nash para la *National Film Board* de Canadá, *If you Love this Planet* fue lanzado durante el gobierno de Ronald Reagan en un momento crítico de la guerra fría entre Estados Unidos y la Unión Soviética. El Departamento de Justicia de Estados Unidos calificó rápidamente el documental de "propaganda extranjera", lo que atrajo una mayor atención hacia este, el cual ganó el premio de la Academia en 1982 en la categoría de documental corto. Ese mismo año, Helen pronunció un discurso para cerca de 750.000 personas en *Central Park*, en la manifestación antinuclear más grande en Estados Unidos hasta esa fecha.

En 1983, yo estaba trabajando como miembro del Parlamento de Nueva Zelanda, después de haber sido elegida ocho años antes, a la edad de 23 años. El Parlamento estableció un comité de desarme y control de armas para llevar a cabo audiencias sobre la posibilidad de hacer de Nueva Zelanda una zona libre de energía y armas nucleares. Durante esa época, críticamente importante, Helen fue invitada a Nueva Zelanda a dar una serie de conferencias. El documental *If you Love this Planet* fue mostrado en sus discursos.

No llegué a conocerla ni escuchar personalmente ninguna de sus conferencias, ya que trabajaba en el Parlamento todas las noches. Sin embargo la seguí a través de los medios de comunicación.

Helen declaró a la revista *The Listener* haber observado

a generales de cinco estrellas en comités del Parlamento, quejarse de que los misiles rusos eran más grandes que los misiles norteamericanos. Ella explicó: "Los misiles rusos son bastante grandes, imprecisos y torpes. Estados Unidos tiene misiles muy pequeños, muy precisos que son mejores matando gente y destruyendo objetivos". Un mensaje frecuente en sus conferencias en Nueva Zelanda era la exagerada capacidad de matar de las dos superpotencias. Cadicott señaló a la audiencia que "los EEUU tienen 30.000 bombas y Rusia 20.000".

Unos meses antes, estando en un comité del Parlamento de Nueva Zelanda, un colega del gobierno, blandiendo una página central de un submarino ruso, entusiasmado nos dijo "Miren lo grande que es". Pensé que nadie me creería si yo hubiera repetido tal banalidad —que un adulto estaba más impresionado por el tamaño del submarino que por su capacidad de destrucción de vida en este planeta.

Los discursos públicos de Helen se basaban en mostrar el impacto potencial de las armas nucleares. "Imaginen una bomba de 20 megatones dirigido a Auckland" le dijo a la audiencia en Nueva Zelanda. "La explosión, cinco veces la energía de todas las bombas lanzadas en la Segunda Guerra Mundial, cavaría un agujero de 1.35 kilómetros de ancho por 245 metros de profundidad y convertiría a las personas, edificios y suciedad en polvo radiactivo. Todo hasta once kilómetros se vaporizaría, y hasta 36 kilómetros estaría muerto o mortalmente herido. Las personas quedarían ciegas instantáneamente por haber visto la explosión en un radio de 72 kilómetros. Muchos se asfixiarían en la tormenta de fuego".

Helen no se contuvo, explicando que la guerra nuclear significa "ceguera, quemaduras, hambre, enfermedad, laceraciones, hemorragias, millones de cadáveres y epidemias de enfermedades." El estilo dramático y contundente de Helen llevó a muchos de la audiencia hasta las lágrimas. Siempre finalizaba sus charlas con un llamado a la acción —especialmente a los padres— ya que cree firmemente que el desarme nuclear es "el problema médico y de crianza más importante de nuestro tiempo".

Para aquellos que podrían decir que Nueva Zelanda no era un objetivo, ella tenía una breve respuesta: "los submarinos Trident en los puertos son objetivos. Son un primer objetivo para atacar. Es mucho más fácil destruir submarinos cuando están en el puerto que cuando están sumergidos en el océano".

En 2015, le pregunté a Helen cómo se las arregló para anunciar tan malas noticias y sin embargo mantener a la audiencia interesada. "Ser médico ayuda porque hay que aprender a negociar con un paciente y utilizar un lenguaje que ellos puedan entender", explicó. "Hay que convertir el diagnóstico y el tratamiento médico en un lenguaje sencillo. A veces también tengo que mantenerlos despiertos haciéndoles reír, ya que alivia la tensión y porque las cosas que digo son horribles". Helen me dijo que ella practica "la medicina preventiva global".

La gira de Helen en Nueva Zelanda en 1983 tuvo un impacto enorme y duradero. En un sitio, Helen se dirigió a más de 2.000 personas en un evento público en Auckland. El bibliotecario que me ayudó a buscar reportajes de la visita de Helen en los periódicos viejos, me escribió: "¡Su descripción escalofriante y detallada de los efectos de un dispositivo nuclear detonado sobre la sala en la que estábamos sentados permanece arraigada en mi mente hasta el día de hoy!" El otro mensaje que más recuerdo es la dicotomía que ella evocó entre el impulso destructivo de los gobernantes "hombres viejos", los instigadores de la guerra, frente a la energía procreadora de las madres más impulsadas a oponerse a ellos, lo cual, sin embargo muy simplificada, conserva la lógica convincente de una ¡perogrullada!"

El enfoque de Helen fue transformador en Nueva Zelanda. Sus discursos sobrepasaban la capacidad de los auditorios y para la gente que no cabía tuvieron que utilizarse potentes sistemas de altavoces. La gente respondió muy bien a esta mujer, cuya vida de trabajo involucraba el cuidado de los niños, hablar de los efectos médicos de la lluvia de polvo radioactivo, y hacerlo sin el uso de la ideología retorica cliché de defensa de los militares que trata a la gente como si fueran tontos, que no pueden comprender. Sus discursos inspiraron a la gente a actuar. Después de los discursos de Helen, la cantidad de correo, particularmente de mujeres, entregado a mi oficina en el Parlamento aumentó.

El 24 de mayo de 1983, 20.000 mujeres llevando flores y brazaletes blancos y sosteniendo banderas con símbolos de la paz marcharon en silencio por una avenida principal de Auckland para celebrar una manifestación enorme y clamar por una Nueva Zelanda libre de armas nucleares. Esta fue una de las manifestaciones más grandes de mujeres en la historia de Nueva Zelanda. En su libro *Peace, Power and Politics - How New Zealand Became Nuclear Free* Maire Leadbetter escribe: "Soy una de las muchas activistas que ven la visita de Helen Caldicott como el momento en que el movimiento por la paz comenzó a crecer de forma exponencial... Helen tenía una capacidad mágica para motivar a los ciudadanos, anteriormente pasivos, para convertirse en activistas".

Poco después de la visita de Helen a Nueva Zelanda, en 1984, informé acerca de mi intención de votar a favor de la legislación para una Nueva Zelanda libre de armas nucleares. Esto llevó al primer ministro Rob Muldoon del partido conservador a llamar a elecciones anticipadas. Muldoon dijo a los medios que mi "postura feminista antinuclear" puso en peligro su capacidad para gobernar.

El nuevo gobierno laborista de 1984 aprobó en 1987 la ley para

Nueva Zelanda zona libre de armas nucleares, desarme y control de armas, primera legislación en el mundo para una nación libre de armas nucleares. La influencia de la doctora Helen Caldicott había culminado con la aprobación de la piedra angular de la política exterior de Nueva Zelanda.

MARILYN WARING es una economista, feminista, escritora y activista de Nueva Zelanda. Como política (fue miembro del parlamento a la edad de 23 años) desempeñó un papel fundamental en la legislación antinuclear, que es todavía piedra angular en la política exterior de su país. Su muy influyente libro *If Women Counted* fue una crítica revolucionaria de la manera en que el estándar internacional de medición del crecimiento económico desaconseja la naturaleza y el trabajo no remunerado de las mujeres.

GINN FOURIE

Ginn Fourie es una activista sudafricana cuya hija fue asesinada durante el *apartheid*. Trabaja para la reconciliación, la paz y la construcción de la comunidad en Sudáfrica y más allá, a través de diversas iniciativas, incluyendo la *Fundación Lyndi Fourie*, que cofundó con Letlapa Mphahlele, el autor del ataque donde murió su hija.

DE VÍCTIMA A SANADORA HERIDA

Por Robi Damelin

En 1994, Ginn Fourie asistió al juicio de los tres hombres que habían asesinado a su hija de 23 años el año anterior, y les dijo que los perdonaba. Fue un acto temprano de gracia en el largo y notable camino de Ginn hacia el perdón y la conciliación. Su viaje tendría consecuencias de largo alcance no solo para ella, sino también para la gente en Sudáfrica y más allá. Incluyéndome a mí, una madre de Israel.

La hija de Ginn, Lyndi, murió en la masacre de la taberna Heidelberg en el suburbio del Observatorio en Ciudad del Cabo, en la víspera de Año Nuevo de 1993. Un grupo de *Freedom Fighters* del *Azanian Peoples Liberation Army*, el brazo armado del *Pan Africanist Congress,* abrió fuego, disparándole a corta distancia y matando a otras tres personas. Como más tarde entendió Ginn, Lyndi no fue asesinada porque era Lyndi, sino por la ira por las injusticias del *apartheid,* y en venganza por el asesinato de cinco escolares negros por las *South African Defense Forces* justo un mes antes. Lyndi, que había estado estudiando ingeniería civil en la Universidad de Ciudad del Cabo, siempre había sido simpatizante de la causa de los negros sudafricanos.

El perdón no fue automático para Ginn. Cuando se enteró de la muerte de Lyndi, el dolor fue agudo: "Se siente como si tu corazón estuviera siendo arrancado de tu pecho", dijo acerca de los días posteriores a la muerte de su hija. Después del dolor, sintió una rabia tremenda, la cual estaba en parte dirigida contra los perpetradores. Pero vio pronto que el perdón era la única manera de evitar que la aflicción la abrumara. Se volcó al aprendizaje, estudiando el proceso de perdón y reconciliación en Sudáfrica y trabajando para un doctorado en el tema. Eventualmente, Ginn llegó a una comprensión profunda de sus propios prejuicios sutiles y el papel social dentro del sistema del *apartheid*.

Su viaje de perdón incluyó muchas paradas en el camino. El día del juicio de los asesinos de su hija, solo un año después de su muerte, estaba furiosa. Pero no sentía odio. Les envió un mensaje a través de un intérprete, diciendo que si ellos se sentían o eran culpables, ella los perdonaba. Confió en el juez para que hiciera justicia, cosa que hizo, sentenciando a los hombres a 25 años de cárcel. En su sentencia, el juez los describió como "títeres" en una trama orquestada por alguien mucho más astuto e inteligente que ellos.

Después del juicio, Ginn se comprometió a encontrar la "inteligencia" detrás del ataque a la taberna Heidelberg, las personas que sentía eran realmente culpables de su pérdida. En 2002, encendió el radio de su carro para escuchar una entrevista con el hombre que admitió haber organizado el ataque. Su nombre era Letlapa Mphahlele. Ginn escuchó que iba a hacer la presentación de un libro escrito por él, *Child of This Soil: My Life as a Freedom Fighter*. Decidió ir al evento y confrontarlo.

En el lanzamiento, Ginn levantó la mano durante la parte de preguntas y respuestas, y explicó quién era. A continuación, acusó a Letlapa de trivializar la Comisión de la Verdad y Reconciliación de Sudáfrica, creada después de la abolición del *apartheid*, al negarse a testificar. A los autores de la violencia bajo el régimen del *apartheid* se les permitía testificar ante los comisionados y solicitar la amnistía de la acusación, pero Letlapa no lo había hecho. Para sorpresa de Ginn, Letlapa respondió abiertamente a su acusación. Dijo que entendía por qué parecía que estaba trivializando la comisión, luego expuso sus razones para no participar. Incluyeron el hecho de que los miembros del *Azanian People's Liberation Army* estaban siendo llevados a prisión en ese momento, mientras que no sucedía lo mismo con los *South African Defence Forces.*

Cuando terminó el evento, Letlapa salió directamente del podio para preguntarle a Ginn si se reuniría con él la semana siguiente. Viendo remordimiento en los ojos de Letlapa, Ginn aceptó. Lentamente, los dos comenzaron un diálogo. Durante los meses siguientes, a pesar del escepticismo de ambas partes, formaron un vínculo poco probable. Ginn ganó un sentido de respeto por la integridad de Letlapa y vio que él realmente quería construir puentes entre sus comunidades. Por su parte, Letlapa estaba abrumado por la capacidad de Ginn para el perdón. "Al perdonar", le dijo una vez a Ginn, "me has liberado de la prisión de mi inhumanidad".

Hoy, Letlapa y Ginn han progresado más allá de su vínculo personal. Establecieron la Fundación Lyndi Fourie para honrar a la hija de Ginn y proporcionar una plataforma para la construcción de puentes entre las comunidades. Se centran en promover la conciliación en Sudáfrica, superando las diferencias de larga data y reduciendo las animosidades locales. Sus mensajes se escuchan en todo el mundo, y a menudo viajan para contar su historia y compartir las lecciones que han aprendido uno del otro.

La historia extraordinaria de Letlapa y Ginn tuvo un efecto profundo en mí en el momento en que más lo necesitaba. En 2002, mi hijo David fue asesinado como un acto de venganza. Un francotirador palestino le disparó. Su muerte cambió mi vida para siempre. Al igual que Lyndi, David era un estudiante cuando fue asesinado —cursaba una maestría en Filosofía de la educación. También formaba parte de un grupo de militares que no querían servir en los territorios ocupados. Había estado en un dilema acerca de servir en el ejército —la mayoría de los reclutas en Israel son hombres y mujeres jóvenes— y lo discutió conmigo. Después de mucha búsqueda interior, decidió ir al ejército, diciendo que siempre trataría a las personas con dignidad.

La vida me ha enseñado a no suponer nunca que conozco a mi enemigo. La descripción de Ginn de lo que es perder a un hijo —como tener su "corazón arrancado de su pecho"— habla del terrible dolor físico y emocional que sentí después de la muerte de David. Comencé a buscar una manera de evitar que las familias israelíes y palestinas experimentaran ese dolor increíble. Estaba claro desde el momento en que los soldados vinieron a decirme que David había sido asesinado, cuando les dije que no podían matar a nadie en nombre de mi hijo, que la venganza no era una opción para mí. Pero, ¿cuál era el camino correcto? Al igual que Ginn, comprendí rápidamente que el francotirador no había matado a David porque era David, sino porque representaba a un ejército de ocupación. Más tarde supe que cuando era un niño pequeño, el francotirador había visto a su tío asesinado violentamente por soldados israelíes. También había perdido a otros dos tíos en el segundo levantamiento de la Intifada. ¡Qué desperdicio de vida!

"El perdón", dijo Ginn, "es parte de pasar de víctima a superviviente a sanador herido". Casi un año después de que David muriera, me reuní con familias palestinas e israelíes en duelo en un taller organizado por el Foro de Círculos de Padres y Familias. Esta organización de base está formada por más de 600 familias israelíes y palestinas, que han perdido a un familiar cercano en el conflicto. Todos trabajamos para humanizar al "otro lado", para sentar las bases de la reconciliación, que consideramos esencial para la paz a largo plazo. Cuando participé en el taller del Foro por primera vez, miré a los ojos de las madres palestinas y me di cuenta de que compartíamos el mismo dolor. Si pudiéramos aprovechar ese dolor y hablar con la misma voz, entonces podríamos convertirnos en una fuerza poderosa para el cambio. Ginn ha dicho: "Los sentimientos vulnerables, cuando se expresan a otras personas, tienen el potencial de establecer vínculos duraderos". Mi nueva vida comenzó ese día, y empecé el trabajo que todavía hago: trabajar para lograr la reconciliación.

Pero incluso después de haber comenzado este trabajo, sentí un vacío. Todavía no sabía lo que realmente significaba el perdón para mí. ¿Había perdonado realmente? o ¿Debía perdonar? La noche en que los soldados israelíes me dijeron que habían capturado al hombre que mató a David, me sentí aún más perdida. No quería vengarme, pero estaba aún más confundida acerca del papel del perdón. ¿Significaba renunciar a mi derecho a la justicia, o que el francotirador podría atacar de nuevo? ¿Perdonar era lo mismo que olvidar a mi propio hijo? Hablé con personas de varias religiones y no encontré respuestas satisfactorias...

Entonces finalmente conocí a Ginn. Hablé con ella en su casa cuando fui a Sudáfrica para entrevistarla para un documental que estaba haciendo. Era la primera persona que conocía que había perdido a un hijo y que en realidad podía definir lo que el perdón significaba para ella. "He llegado a comprender" —explicó Ginn— "que el perdón es un proceso que implica una decisión basada en el principio de renunciar a tu justificado derecho a la venganza, pues aceptarlo es una violación y una devaluación del ser".

Tuve un gran avance emocional. La definición de Ginn de perdón es la única que tiene sentido para mí, y escucharlo me ayudó a entender el viaje que estaba haciendo. Puede que ya haya estado en mi camino hacia el perdón porque nunca busqué venganza. Y estaba trabajando para ayudar a otros a sanar. Pero ahora comprendí que era mi amor por David, como dijo Ginn, que me había puesto en este camino. Mi perdón lo honra y me da el coraje de seguir haciendo este trabajo, un día a la vez.

ROBI DAMELIN perdió a su hijo a manos de un francotirador palestino en 2002. Ahora, como Directora del *Women's Group for the Parents Circle-Families Forum* en Israel, promueve la paz y la reconciliación junto con otros israelíes y palestinos que han perdido a un ser querido en el conflicto.

RIGOBERTA MENCHÚ TUM

Rigoberta Menchú Tum es una activista por los derechos de los indígenas y de las mujeres, ganó el Premio Nobel de la Paz en 1992, y su lucha para compartir con el mundo la historia de opresión y violencia en contra del pueblo maya la ha hecho un icónico líder mundial. En dos ocasiones, 2007 y 2011, se lanzó para la presidencia de Guatemala. Es miembro de la junta directiva de *Nobel Women's Initiative*.

UN CAMINO DIGNO POR LA JUSTICIA

Por Pamela Yates

En 1983, yo era una joven mujer viajando por el mundo para proyectar mi primer largometraje *When the Mountains Tremble* (Cuando tiemblan las montañas), que contaba la historia de la violencia brutal desplegada entonces en Guatemala. No estaba sola: Rigoberta Menchú Tum, la protagonista de la película, viajaba conmigo.

Recuerdo París en particular, donde Rigoberta se levantó después de la proyección y se dirigió al teatro, totalmente lleno, acerca del genocidio que estaba siendo librado por el ejército guatemalteco contra los mayas, su gente. Era una sangrienta campaña de la que pocos en la audiencia habían oído hablar. Cuando Rigoberta habló, su voz suave llegó a la gente consiguiendo que reconocieran su *humanidad colectiva*, una filosofía que es clave en la cultura e identidad maya. Para el final de la noche, había comprometido al público a escribir cartas, hablar, marchar, donar fondos y movilizarse por un cambio real.

Nunca habían conocido a alguien como ella.

La imagen perdurable que tengo de Rigoberta es su habilidad de captar el potencial de todos y cada uno de los que la escuchan. En su búsqueda permanente, primero para detener la violencia en Guatemala y después para buscar que se castiguen los crímenes cometidos durante las décadas de guerra civil, Rigoberta se convirtió en una líder formidable y una de las primeras mujeres mayas en la historia en ser el frente y el centro de esta lucha en el escenario global.

Los padres de Rigoberta eran líderes y le enseñaron a una edad temprana a respetar y valorar la cultura maya. Don Vicente Menchú era un catequista católico o líder laico, que reconoció la inteligencia de su hija y la habilidad innata que tenía de enseñar desde muy joven. Él la escogió, la sexta de nueve niños, para caminar con él de pueblo en pueblo en las tierras altas de los mayas, de manera que pudiera aprender pues él organizaba a los campesinos pobres para que conocieran y lucharan por sus derechos. Doña Juana Tum, su madre, era una respetada sanadora natural y partera en el pequeño pueblo de Chimel. Eran pobres pero vivían ricamente, rodeados por la belleza de los ríos y las montañas volcánicas, parte de una cultura antigua, vibrante y espiritual: Los maya-quiché.

Los años setenta fueron una época volátil en Guatemala, cuando dictadores militares gobernaban y los grandes terratenientes tenían el poder total. Pero los campesinos desafiaron a las autoridades organizando cooperativas y crearon una red de trabajo nacional de campesinos e indígenas: el Comité de Unidad Campesina, o CUC, dirigido por líderes emergentes como Vicente Menchú. Aprendieron a leer y a escribir y estudiaron acerca de los factores que los mantenían en estado de pobreza. El gobierno guatemalteco reaccionó con una represión feroz. Muchos campesinos fueron asesinados o desaparecidos solo por hablar y practicar sus derechos.

En 1980, Vicente Menchú dirigió una delegación de campesinos mayas y estudiantes en una toma no violenta de la Embajada de España en Ciudad de Guatemala, en un intento por contarle al mundo acerca de los asesinatos en las tierras altas. Era un acto de resistencia altamente riesgoso, pero el grupo sintió que no tenía opción. Pagaron un alto precio por su desafío: la policía guatemalteca atacó la embajada y le prendió fuego matando a 37 personas incluyendo al padre de Rigoberta. Fue un ataque que conmocionó al mundo.

La muerte de su padre la devastó, tenía solo 21 años. Poco tiempo después, servicios de seguridad estatales violaron y asesinaron a su madre Juana. En lugar de encerrarse en su dolor, Rigoberta decidió actuar. Huyó para esconderse primero en un convento y después en México en donde el teólogo de la liberación Samuel Ruiz, Obispo de Chiapas, la recibió. Aquí, los regalos que su padre le había dado —las habilidades de enseñar, hablar y contar al mundo sobre el sufrimiento de su gente, inspirándola para actuar, florecieron.

Durante los siguientes diez años, Rigoberta viajó por el mundo, viviendo con una sola maleta —un exilio motivado por su deseo intenso de terminar con la violencia que arrasaba Guatemala. Ella dice que el espíritu de su madre Juana la acompañaba. Habló en todas partes —iglesias locales, universidades y centros comunitarios. Habló en oficinas de gobierno e incluso en la Asamblea General de las Naciones Unidas. Se convirtió en una vocera internacional abogando por la paz y los derechos de los indígenas. Jefes de Estado comenzaron a prestar atención.

Para el tiempo en que Rigoberta estaba hablando en Naciones Unidas, yo estaba haciendo mi documental *Cuando tiemblan las montañas.* Un amigo que tenía conocimiento del documental, trajo a Rigoberta a mi estudio en New York. En ese momento me preguntaba cómo contar la historia de lo que estaba pasando en Guatemala. Había filmado increíbles escenas innovadoras con el ejército y los guerrilleros, con la sociedad civil y la iglesia, pero no había encontrado aún una manera de ponerlo todo junto. Hice una entrevista filmada a Rigoberta y me di cuenta casi instantáneamente que tenía una visión extraordinaria de las cosas. La llevé al cuarto de edición y juntas miramos todo el material filmado. Cuando estábamos viendo el documental, ella comenzó a contar la historia de su vida, y comprendí que tenía que ser ella la que narrara la película.

Rigoberta escribió su propia vida, tejiendo historias, después la filmé hablando directamente a la cámara y —por extensión a todo el mundo. Era la primera vez que la historia de Guatemala era contada desde la perspectiva única de una mujer maya.

El estreno de *Cuando tiemblan las montañas* fue en el *Sundance Film Festival* y posteriormente fue mostrado en todo el mundo. Se convirtió en parte de una campaña para parar la intervención militar de Estados Unidos en Centroamérica. El documental ayudó a poner a Rigoberta en el escenario mundial y cambió mi vida para siempre. Guatemala había envuelto mi alma con sus brazos y nunca me dejaría ir.

Diez años más tarde, Rigoberta ganó el Premio Nobel de la Paz. Era el aniversario número 500 de la llegada de los europeos a América, una conquista que comenzó en 1492 cuando la búsqueda rapaz por tierra y oro desató un genocidio contra los pueblos indígenas, desde Canadá hasta Tierra de Fuego en la punta sur de Chile. El Nobel fue otorgado a Rigoberta "en reconocimiento de su trabajo por la justicia social y la reconciliación basada en el respeto por los derechos de los pueblos indígenas". Ella fue la primera indígena y, hasta ese momento, la persona más joven en recibirlo. Cuando se levantó para aceptar el premio, brillaron los colores vibrantes de su *güipil* y *corte*, el vestido maya tradicional, rodeada por un mar de europeos vestidos en colores neutros. Rigoberta dijo a la audiencia: "Considero este premio no como una recompensa a mí personalmente sino como una de las grandes conquistas en la lucha por la paz, por los derechos humanos y por los derechos de los indígenas que durante 500 años han sido divididos, fragmentados, como también han sido víctimas de genocidios, represión y discriminación".

Pero cuando se lucha por la impunidad, la impunidad lucha de vuelta. En 1983, Rigoberta había publicado un libro acerca de su vida, el cual transformó el estudio y la comprensión de la historia guatemalteca moderna. Pero después de que ganó el Nobel de la Paz en 1992, sus memorias también se convirtieron en un objetivo para los historiadores conservadores y figuras políticas tanto en Guatemala como en Estados Unidos. Buscaron desacreditarla y negaron la campaña de genocidio llevada a cabo por el régimen militar guatemalteco con el apoyo de Estados Unidos. Trataron de desacreditar su historia diciendo que había mentido acerca de sus experiencias personales, sin entender que ella estaba escribiendo la historia colectiva de los pueblos indígenas, que encaja con la filosofía maya de la cosmovisión ancestral. Algunos de sus detractores intentaron incluso revocar el premio pero fueron rechazados por el Comité del Nobel.

Un académico internacionalmente reconocido describió el ataque a la Embajada de España, donde murió el padre de Rigoberta, como un acto de auto inmolación por subversivos de la guerrilla para atraer atención a su causa. Ella me contó: "Esta acusación me hizo sentir como si las víctimas, incluyendo a mi padre, estuvieran siendo torturadas y asesinadas una y otra vez".

Ignoró estas críticas a su trabajo y siguió en su lucha.

Utilizando su prestigio internacional como ganadora del Nobel, Rigoberta lanzó una campaña para traer justicia a los responsables del genocidio en Guatemala. Inspirada por el Tribunal Supremo Español que emitió una orden de arresto contra el general chileno Augusto Pinochet, bajo cargos contra los derechos humanos, acudió al mismo tribunal para crear un caso contra aquellos que ordenaron el ataque a la Embajada de España. El Tribunal Supremo Español reclama jurisdicción universal, incluyendo el derecho de perseguir crímenes atroces incluso si son cometidos en otros países. A medida que avanzaba el caso, valientes jueces y fiscales en Guatemala obtuvieron evidencia de los fiscales españoles y reunieron la voluntad política para llevar a los culpables ante la justicia.

El juicio del caso de la Embajada de España comenzó en Guatemala el 1 de octubre de 2014 y Rigoberta fue la primera persona en testificar. En enero de 2015 el jefe de la policía Pedro Arredondo, quien ordenó el ataque, fue encontrado culpable y sentenciado a 40 años de prisión. Fue un momento emotivo para Rigoberta y todos los familiares sobrevivientes. La gente en la sala del juicio se levantó y comenzó a gritar "¡Justicia, Justicia, Justicia!". Simplemente saber que el registro histórico ahora contaría la verdad de lo que había sucedido los llenaba de poder.

Rigoberta ha ayudado a que se haga justicia en su país a través de otros juicios, incluyendo el caso contra el expresidente el general Efraín Ríos Montt. Este juicio histórico terminó en mayo del 2013, después de que la Corte guatemalteca escuchara el testimonio de los sobrevivientes acerca de la brutal política del ejército en las tierras altas mayas en 1982 y 1983. El tribunal sentenció a Ríos Montt, quien llegó al poder en un golpe de estado en 1982, a ochenta años en prisión por decretar el asesinato de 1.771 personas, incluidos niños. La presencia de

Rigoberta en la sala de justicia casi todos los días fue un apoyo enorme a las víctimas maya-ixil.

Otro caso que apoyó fue el de quince mujeres maya-q'eqchi que fueron repetidamente violadas, retenidas contra su voluntad y obligadas a cocinar y a limpiar para soldados en la base militar Sepur Zarco a comienzos de los años ochenta. Este caso de esclavitud y abuso sexual llevó a dos militares ante la Corte. De nuevo, Rigoberta prestó su presencia digna y fuerte escuchando a las mujeres testificar en 2016, durante el primer juicio criminal por esclavitud y abuso sexual en una corte nacional. Y otra vez, los acusados fueron condenados. Las demandantes, ahora en sus cincuentas y sesentas, pudieron finalmente celebrar en alguna medida, justicia.

No solo se trata de justicia en salas de audiencias, Rigoberta ha dedicado su vida al servicio público. En 2007, fundó el primer partido político dirigido por mayas, llamado WINAQ que significa —ser humano integral— en el idioma quiché. Ella se ha postulado para la presidencia de Guatemala dos veces, siendo la única indígena en haberlo hecho. Actuó para influenciar el debate nacional acerca de la corrupción de los partidos políticos como fuerzas corrosivas, debilitantes de la democracia. Los congresistas del WINAQ estuvieron entre los primeros que investigaron y denunciaron la corrupción al más alto nivel del gobierno.

En 2012, Rigoberta fue designada investigadora extraordinaria en una cátedra creada y nombrada especialmente en su honor en la Universidad Autónoma de México, una de las universidades más prestigiosas de América. Actualmente Rigoberta enseña derechos humanos desde una perspectiva indígena e investiga la discriminación estructural. También contribuye a diseñar políticas públicas y leyes que igualen la situación de los indígenas en una democracia que funcione plenamente.

He tenido el gran placer de conocer a Rigoberta Menchú por 34 años. Ahora somos viejas amigas y mujeres maduras, o, como decimos en broma, 'Somos viejas amigas y amigas viejas'. Y continuamos haciendo películas juntas. En 2011 colaboramos en *Granito: How to Nail a Dictator*, (*Granito Cómo atrapar a un dictador*) acerca del caso de genocidio guatemalteco cometido por el General Efraín Ríos Montt.

Ella le dio el título a la película. Cuando le pregunté el significado del concepto maya de granito de arena, dijo "Es una frase profundamente humilde. Quiere decir: Yo sola no puedo cambiar las cosas, pero puedo ayudar a cambiarlas. Es un concepto de cambio colectivo. Esto es revolucionario porque significa un proceso, la lucha puede tomar muchas formas. El cambio viene a través de la lucha. Y un grano de arena es una filosofía fuerte que une derechos colectivos e individuales. Porque lo que doy es solamente una contribución —un grano de arena— pero la arena es vasta. Para mí no hay héroes, nadie es más heroico que otro. Y cuando el destino llama, hay que actuar".

El compromiso de vida de Rigoberta de actuar ha cambiado Guatemala. Ha cambiado el mundo.

PAMELA YATES es una premiada cineasta y activista de derechos humanos estadounidense. Su aclamada película *When the Mountains Tremble*, 1983, cuenta la historia del conflicto armado en Guatemala a través de la vida y de la lucha de Rigoberta Menchú Tum. La película de Yates de 2011, *Granito: How to Nail a Dictator*, es la continuación de la primera y cuenta la historia de cómo se construyó el caso de genocidio en contra del General Ríos Montt.

DING ZILIN

Profesora de filosofía y estética, Ding Zilin fundó la organización Madres de Tiananmen después de que su hijo de 17 años fuera asesinado por tropas del gobierno, —junto a un número desconocido de víctimas— durante protestas pacíficas democráticas en la plaza de Tiananmen en 1989. Madres de Tiananmen se compone de los parientes de aquellos que fueron asesinados en la noche del 3 de junio y en la mañana del 4 de junio de 1989, y busca la verdad y la responsabilidad del gobierno chino por la masacre.

EL DERECHO A SUFRIR

Por Madeleine Thien

Es el crepúsculo. Aves en vuelo regresando,
viajeros saliendo — nunca termina.
Wang Wei

En 1989, Ding Zilin vivía una vida relativamente ordinaria, incluso afortunada. Junto a su marido Jiang Peikun, enseñaba en *People's University* en Beijing, donde ambos eran profesores muy respetados de filosofía y estética. Habían llegado a la mayoría de edad, y habían sobrevivido las catastróficas campañas políticas de Mao Zedong en China, que en solo 25 años habían cegado la vida de sesenta millones de personas.[1] Ellos tenían un hijo, Jiang Jielian.

Ese año comenzaron las demostraciones de Tiananmen. El evento catalizador fue simple por lo inesperado: la súbita muerte

---

[1] "Todos los cálculos de los muertos inocentes son alucinantes", Edward Friedman y Roderick MacFarquhar, Introducción a *Tombstone: The Great Chinese Famine, 1958-1962* (New York: Farrar, Straus and Giroux, 2012) por Yang Jisheng, que estima que los muertos en solo estos cuatro años fueron 36 millones. En *Mao's Great Famine : The Story of China's Most Davastating Catastrophe* (London: Bloomsbury, 2010) el historiador Frank Dikötter estima el número de muertos entre 1958 y 1962 en 45 millones. Para la totalidad de los 27 años de Mao Zedong en el poder (1949-1976), "Cuántos murieron: Nueva evidencia sugiere un número de víctimas mucho más alto en la era de Mao Zedong", Valerie Strauss y Daniel Southerland, *The Washington Post*, julio 17, 1994, las estimaciones son entre 40 y 120 millones.

de Hu Yaobang, un líder del partido comunista ampliamente admirado por sus reformas económicas. Dos años antes, Hu había sido acusado de no dar tanto énfasis a la respuesta del gobierno al movimiento pro-democrático; deshonrado, había sido removido del poder. En abril de 1989, en la víspera del funeral de Hu, de repente la plaza de Tiananmen se convirtió en un jardín de flores, poemas y canciones. La noche antes del funeral, más de 100.000 estudiantes durmieron en el suelo con el fin de evitar la decisión del gobierno de cerrar la plaza al público durante la ceremonia.

Una semana más tarde, el gobierno declaró las acciones de los estudiantes —su exhibición pública de dolor por el fallecimiento de Hu Yaobang— una amenaza para la seguridad nacional.

La dura línea del gobierno trajo una respuesta masiva sin precedentes de parte de los estudiantes. Por las siguientes seis semanas, protestas continuas llegarían hasta un millón de personas —estudiantes, periodistas, trabajadores de fábricas, oficiales de policía, meseras, banqueros, científicos y más— en la plaza de Tiananmen cada día, llenando el espacio tan apretadamente que, en palabras de Ding Zilin, "ni siquiera una gota de agua podía pasar". Su hijo Jielian, aún en la secundaria, estaba entre ellos, llevando una pancarta de apoyo: "Incluso si caes, seguiremos aquí". Alrededor suyo otros conciudadanos expresaban deseos que habían sido suprimidos por décadas: "¿No es tiempo para vivir como seres humanos?"; "¿Por qué no podemos escoger nuestros trabajos?"; "¿Con qué derecho el gobierno tiene que mantener un archivo privado sobre nosotros?"; "Un hombre honesto y sincero ha muerto, pero los hipócritas viven". El 13 de mayo miles de estudiantes universitarios de Beijing comenzaron una huelga de hambre, diciendo "¿Si no nosotros, entonces quién?".

Jielian nació en 1972, el mismo día que mi hermana mayor. Su madre dice que era un idealista y un lector voraz que quería leer "diez líneas de una vez". Cuando un libro que los tres miembros de la familia querían leer, entraba en casa, lo dividían en tres secciones. Después de que todos habían terminado, cosían el libro de nuevo. Durante las demostraciones de Tiananmen, el padre de Jielian, preocupado por la seguridad de su hijo, lo siguió a la plaza y desde una calle cercana, cuido de él toda la noche.

En la noche del 3 de junio de 1989, Jielian fue a unirse a las protestas. Tres horas más tarde, mientras trataba de esconderse detrás de un gran arreglo de flores, soldados de *People's Liberation Army* le dispararon en el pecho. Su madre escribe: "Murió al instante". Dos días pasaron antes de que sus padres, que oscilaban entre la esperanza y el desespero, recobraran el cuerpo de su hijo de 17 años. El 5 de junio, con su cuerpo aún sangrando por la herida del disparo, Ding Zilin le dio el beso del adiós.

"Desde mi llegada a este mundo", Ding Zilin escribió años más tarde, "Yo solo quería vivir una vida ordinaria".[2] Ella nació, creció y se casó en el tiempo en que Mao y el partido comunista habían sumergido al país en una revolución violenta. Bajo Mao, sesenta millones de muertes destrozaron familias, seguridad, fe, sueños e individualidad; ellos constituyen un mar vasto y turbulento en espera de todos los actos de recuerdo público en China.

Después de un periodo de dolor y culpa insoportable por la pérdida de su hijo, en el cual trató de quitarse la vida en varias ocasiones, Ding Zilin decidió en 1991 pedir algo muy simple: el derecho a llorar en paz y en público.

Juntas, ella y otra madre desconsolada, Zhang Xianling, dieron

---

[2]   Ding Ziling, *Born Into Challenges, Dead in an Instant*, traducido por Derechos Humanos en China y publicado online en julio 25, 2014. http://hrichina.org/en/china-rights-forum/born-challenges-dead-instant-part-1

una entrevista a *ABC News.* El hijo de Zhang Xianling, Wang Nan, también era estudiante de secundaria. Le dispararon a corta distancia y subsecuentemente le negaron la asistencia médica y el consuelo de los médicos voluntarios, ya que durante tres horas estuvo tirado en el suelo, agonizando. Cuando finalmente encontró el cuerpo de su hijo, a Zhang Xianling se le entregó un recibo estampado con el nombre de su hijo y la causa de su muerte, "Recibió disparo y murió".

En ese entonces y actualmente, el gobierno chino mantiene que los muertos eran simplemente alborotadores y contrarrevolucionarios. De hecho, de acuerdo a ellos, la mayoría de las muertes —estimadas en cientos y quizás miles— no ocurrieron. Como consecuencia de la entrevista con *ABC,* empezaron una campaña de acoso e intimidación contra Ding Zilin y Zhang Xianlin. En respuesta, las dos mujeres fundaron Madres de Tiananmen; buscando a otras que compartieran la misma suerte, ellas buscaban amistad y consuelo. Su demanda era simple y conmovedora —el derecho a hacer el duelo.

Para estas familias, la historia no será nunca un libro cerrado. Hoy en día, trece personas arrestadas durante las demostraciones de 1989 están en prisión. Justo antes del veintitrés aniversario, un hombre llamado Ya Weilin se suicidó. Su hijo Ai Huo (cuyo nombre significa "amar al propio país") tenía 22 años cuando fue asesinado el 3 de junio. En su nota de suicidio, Ya Weilin escribió "Aún no hay justicia". En el aniversario número veinticinco, por primera vez, residentes de Beijing que celebraban un memorial privado en un apartamento fueron arrestados y acusados. En el lugar mismo donde el hijo de Zhang Xianling fue asesinado, el gobierno puso una cámara de vigilancia: una cámara destinada para ella sola. A través de estos dispositivos, la policía también recuerda e intenta revisar el libro de la historia.

Veintisiete años más tarde, las madres de Tiananmen, "este

grupo de gente vieja",[3] plantean la mayor amenaza a lo que la periodista Louisa Lim ha llamado *La República Popular de la Amnesia*. Por casi tres décadas, las fundadoras de Madres de Tiananmen han sido vigiladas 24 horas. Ding Zilin y Zhang Xianling son detenidas rutinariamente sin acusación, seguidas por cuarenta agentes de la policía cuando hacen sus compras, y denunciadas por amigos y colegas. Sus computadores, teléfonos y pertenencias son incautados. En los días alrededor del 4 de junio, son detenidas, retenidas cautivas y se les prohíbe contactar el exterior. Son escoltadas por la policía cada vez que quieren visitar el cementerio o se les prohíbe hacerlo juntas. El nombre de Ding Zilin está bloqueado en el Internet chino, como también las palabras *ji nian* 纪念 (recordar).

Y aún así, Madres de Tiananmen ha recogido los nombres de 202 personas asesinadas esa noche —un logro extraordinario ante el acontecimiento político más sensible y censurado de la historia china. Sus miembros continúan cuidando de las familias de cada una, proporcionando asistencia material y financiera, registrando testimonios y apoyándose unos a otros públicamente. Insistentemente piden algo desgarradoramente simple: llorar, hablar.

Los actos políticos emprendidos en memoria del amor tienen una resonancia inconmensurable. Ellos sobreviven.

***

En 2002 mi madre murió de repente después de haber sido dada de alta de un hospital canadiense. Esa semana vi una mujer parada en la plataforma del metro. Su hija, de unos cinco o seis años, estaba inclinada contra ella, y la mujer tenía apoyadas las palmas en los hombros de la niña. La mujer lloraba abiertamente. En mi propia aflicción empecé a llorar también. Las circunstancias de la muerte de mi madre no se resolverían;

---

[3] Zhang Xianling, entrevistada por Louisa Lim en *The People's Republic of Amnesia*, 2014.

de hecho, el hospital temiendo una demanda legal, no nos hablaría, y por más de un año, se rehusaron a divulgar cualquier documento relacionado con su tratamiento. Mi devastación era inexpresable. Miré a la madre y a la niña y en público, derramé a borbotones mi dolor. Tenía 28 años, era libre para llorar, gritar y hacer preguntas: la libertad de sufrir es algo que nunca daré por hecho.

Este año Ding Zilin tiene 81 años. La persistencia de su amor por su hijo, como su amor por las familias de los fallecidos y desaparecidos de Tiananmen, me inspiran año tras año, como escritora y como hija. En mi vida, he escogido la literatura como el medio para abrir el libro de la historia —para dividirlo, distribuirlo y coserlo de nuevo— para que pueda aprender a vivir sinceramente en la brevedad que nos es concedida. "Sé que no soy una madre muy valiente" dice Ding Zilin. "No tengo resistencia. No digo palabras inspiradoras. Pero en el camino para luchar por los derechos humanos, para pedir justicia, he mantenido mi resistencia y seguido mi camino. Esta podría ser otra manera de vivir.

MADELEINE THIEN es la autora de tres novelas y una colección de cuentos cortos. Su más reciente novela *Do Not Say We Have Nothing,* examina el legado de la revolución cultural de una década y las demostraciones de Tiananmen de 1989 a través de la historia de varias generaciones de una familia de músicos con formación clásica.

JODY WILLIAMS

Jody Williams ganó el Premio Nobel de la Paz en 1997 por su trabajo en la Campaña internacional para prohibir las minas terrestres. Como presidenta de *Nobel Women's Initiative*, Williams viaja por el mundo abogando por los derechos humanos —particularmente la autodeterminación y los derechos de las mujeres. Es reconocida globalmente por sus contribuciones a la paz y a la seguridad, incluyendo la campaña actual para prohibir los robots asesinos. En 2013 publicó *My Name is Jody Williams: A Vermont's Girl's Winding Path to the Nobel Peace Prize*.

ELLA LUCHA DESDE EL CORAZÓN

Por Audrey Wells

Cuando Jody Williams tenía 7 años, les dijo a sus padres que cuando creciera iba a ser el papa. Fue algo chocante para anunciar a sus devotos católicos padres, y contenía bastante arrogancia. Además, por suspuesto, era un sueño inalcanzable. Risible. De hecho, ha podido decir también: "Mamá y papá, cuando crezca, voy a ganar el Premio Nobel de la Paz".

Y lo ganó. Cuarenta años más tarde.

Desde una edad muy temprana, Jody Williams no tenía dudas acerca de intentar lograr lo imposible. Se podría decir que nació con más que su cuota de visión. Pero conociendo a Jody como la conozco —tanto como amiga como cineasta— yo diría que no es visión lo que mueve a Jody sino algo más, algo que habita en el vientre. Algo cercano al fuego, el aguante, la firmeza de carácter. La rabia por la injusticia altera a Jody por dentro como ácido estomacal. Jody actúa desde sus entrañas, golpea desde el hombro, lucha desde el corazón y lidera con su intelecto. Es una fuerza imparable que viaja por el mundo persiguiendo la paz, hasta que colapsa, exhausta regresa con su amado esposo, sus leales gatos y perro, y su querido recipiente de *fondue*. Eso es hogar.

Jody fue la líder de la Campaña internacional para prohibir las minas terrestres, de 1992 a 1997, año este último en que 122 países firmaron el Tratado de Prohibición de Minas, en un acto de cooperación sin precedentes entre naciones, ciudadanos y organizaciones no gubernamentales del mundo. Gracias al movimiento que Jody lideró, estas naciones estuvieron de acuerdo en cesar la manufacturación, el almacenamiento, el comercio y el uso de las minas terrestres. También aceptaron cooperar en una iniciativa masiva para desenterrar y desactivar millones de minas dejadas en la tierra que continúan matando a gente inocente alrededor del mundo, aún años después que la guerra termina. Este tratado ha salvado millones de vidas e innumerables extremidades, y continuará haciéndolo en el futuro.

Por coordinar este acto de paz global, Jody Williams ganó el Premio Nobel de la Paz en 1997. Tenía 47 años. Se pensaría que este logro y honor habría hecho de Jody un tesoro nacional y una heroína estadounidense, y que su nombre sería familiar para los niños en las escuelas a través del país. No es el caso. Esto puede ser explicado en parte por el hecho de que Estados Unidos se rehusó a firmar el tratado. Jody tuvo una lucha prolongada con la administración Clinton sobre el asunto. De hecho, el día que Jody recibió el premio, llamó al presidente Bill Clinton un *weenie* por no firmar la prohibición. Su comentario apareció en la primera página del *New York Times*.

Pero no importa.

A Jody la tiene sin cuidado que su nombre no sea familiar en Estados Unidos. Ella viene de la clase trabajadora donde la gente vale por lo que hace, no por lo que parece ser, o por la fama o gloria que se tenga. Nació en una amorosa familia trabajadora de Vermont, con dos hermanas y dos hermanos. Su madre Ruth trabajaba en casa criando a los niños y cuidando a su hijo mayor que nació sordo.

John, el padre de Jody, manejaba un camión de carbón hasta que comenzó su propio negocio de máquinas expendedoras. Jody trabajó para él por una temporada, haciendo los sándwiches de jamón que iban dentro de las máquinas.

Después de obtener su título en la Universidad de Vermont y de divorciarse de su amor de la secundaria, la *sándwich-maker* no estaba segura de lo que quería hacer con su vida. Decidió obtener otro título universitario que le permitiera enseñar inglés como segunda lengua, y español.

Una mañana de 1981, Jody encontró la manera de utilizar su español. Mientras iba en el metro para su trabajo —enseñaba inglés a nuevos inmigrantes en Washington D.C— un hombre le pasó un panfleto que cambió todo. Decía: "El Salvador, ¿otro Vietnam?" Hablaba acerca de acabar la guerra en El Salvador e invitaba a todos y cada uno a asistir a una reunión informal en el sótano de una iglesia. Jody bajó las escaleras de ese sótano, se sentó, y sintió esa sensación ardiente en sus entrañas que la ha guiado en muchas de sus decisiones más importantes.

Se inscribió con *Medical Aid* para El Salvador, una organización estadounidense no gubernamental, Jody llevó delegaciones con provisiones médicas a El Salvador de manera que pudieran ver de primera mano el impacto de la guerra patrocinada por Estados Unidos en el país. Su trabajo implicaba también viajar a ciudades bombardeadas, ganando la confianza de incontables familias salvadoreñas afectadas, y organizando el transporte por aire de niños heridos a Estados Unidos, donde podrían recibir la atención médica que necesitaban. Era un trabajo peligroso en una zona de guerra, y finalmente Jody pasó a ser una víctima. Un operativo del escuadrón de la muerte la visitó en su hotel y le pidió abandonar el país, violándola.

Jody se rehusó a dejar El Salvador y siguió trabajando hasta que el agotamiento extremo la forzó a retirarse a Washington.

Lo que siguió para ella fue un periodo de dudas. Pero pronto *Medico International* —un grupo que había apoyado parte de su trabajo en El Salvador— y el *Vietnam Veterans of America Foundation,* le hicieron una propuesta. ¿Consideraría trabajar como organizadora para coordinar la prohibición internacional de minas terrestres? Esto implicaba miles de horas de viajes internacionales, reuniones sin fin, trabajo implacable, negociaciones exhaustivas, no festivos con la familia, un pago patético y cero garantías. Por supuesto Jody dijo "sí".

Siete años después, la *sándwich-maker* de Vermont estaba sosteniendo el Premio Nobel de la Paz. Jody Williams es la prueba viviente de que una persona con una pasión puede hacer la diferencia.

Hoy, Jody y su esposo Steve Goose, trabajan para prohibir otra clase de armas: "los robots asesinos", armas completamente autónomas. Como jefe de la división de armas de *Human Rights Watch*, Gosse (como lo llama Jody) ayudó a cofundar la Campaña internacional para prohibir las minas terrestres —que fue donde él y Jody se conocieron. Juntos, ellos dan un nuevo significado al término "pareja poder". Nada los detiene.

La última vez que vi a Jody, ella había venido a Los Ángeles para hablar en *Peace Jam* —un programa internacional de educación hecho alrededor de las laureadas con el Premio Nobel de la Paz, que trabaja personalmente con jóvenes para pasarles el espíritu, habilidades, y sabiduría que ellas personifican. Reclamé a Jody por unas pocas horas para mí, la recogí en el hotel y la llevé a cenar. Antes de entrar en el restaurante, Jody se detuvo bajo una luz de la calle, diciendo que quería presentarme la última adición a su familia. Levanté mis cejas, preguntándome quién podría ser, y cómo podría conocer a esta nueva persona, ahí mismo, en una esquina de Beverly Hills. Fue cuando Jody abrió el último botón de sus pantalones, y bajó la pretina para mostrarme un colorido tatuaje brillante en la parte baja de su abdomen. El tatuaje era un dragón bellamente hecho, que se deslizaba graciosamente sobre su vientre, cubriendo la cicatriz de una histerectomía. "Su nombre es Raven", dijo, sonriendo como una chica de campo de Vermont. "¿No te parece que es bonito?"

Para mí, esta historia resume a Jody. Ejemplifica la manera en que ha vivido su vida. Si caes, si pierdes, si te hieren, no te quejes acerca de eso. Hazte un tatuaje. Pégate un dragón grande y malo sobre la maldita cosa. Proclama tus intenciones al mundo. Quédate. Lucha. Respira fuego.

Y sigue adelante.

AUDREY WELLS es una premiada guionista y cineasta estadounidense. Sus filmes como *Guinever* y *Under The Tuscan Sun*, con frecuencia exploran heroínas complejas.

MARCELA LAGARDE Y DE LOS RIOS

Marcela Lagarde y de los Ríos es una de las más influyentes feministas de México. Antropóloga, académica y ex política, a Lagarde se le atribuye haber introducido el concepto de feminicidio en América Latina —la sistemática desaparición y asesinatos de mujeres, en los cuales el Estado es cómplice ya sea directa o indirectamente por dejar impunes tales crímenes. Su investigación de feminicidios contribuyó al veredicto de 2009 de la *Inter-American Court of Human Rights* contra México por el fracaso en proteger a cientos de mujeres en Ciudad Juárez.

HERMANDAD Y PAZ

Por Lydia Cacho

El año era 1993 y mujeres de todas las edades llenaban la sala. Yo acababa de cumplir 30 años y estaba emocionada. Las mesas redondas colocadas en forma de círculo parecían formar un mándala perfecto. Ante nosotras estaba una mujer con pelo largo negro, vestida con un traje mexicano color púrpura, sonriendo con su boca y con su cara al mismo tiempo. Había algo inescrutable en esta reconocida antropóloga feminista mexicana, y todas queríamos saber su secreto. ¿Cómo hacía para ver el mundo con tal empatía manteniendo su perspectiva científica única: una enraizada en la filosofía feminista? Lagarde nos pidió traer fotos de nuestra niñez, nuestras madres, abuelas, tías. Algunas llevamos cajas de fotos, otras solo una o dos.

Durante este taller que duró dos días, Marcela lideró nuestro grupo diverso de cientos de mujeres (activistas, académicas, estudiantes, periodistas, abogadas, amas de casa, indígenas, y citadinas) paso a paso en un viaje a nuestro pasado ancestral. Nos guio para reconstruir juntas la historia de las mujeres en nuestro país. Sobre todo, Marcela nos tomó a cada una de la mano y nos explicó las claves para entender la ideología femenina.

¿Cómo, cuándo, dónde y quién nos enseñó a ser las mujeres que éramos frente a nosotras mismas, frente a los demás, frente a los hombres —y a sus espaldas? ¿De quién aprendimos (quizás en la niñez) a usar la violencia, o en contraste, a negociar un conflicto sin violencia, o usar (esa otra forma de agresión más sutil) la manipulación?

Nuestro encuentro se convirtió en un viaje por los vericuetos intricados de la psique. ¿Cómo puedo saber quién soy? o ¿Cuál es el punto de ser activista si no entiendo lo violenta que soy o cómo actúo ante los actos de violencia de otros? Marcela hizo esa pregunta muchas veces durante esos dos días. Cultivar el liderazgo consiste, sobretodo, en atreverse a navegar en las entrañas de la propia ideología, en nuestra esencia como mujeres. Esas entrañas determinan la manera en que funcionamos y el por qué nos entregamos a ciertas causas, poderes, gente —y al amor o a la guerra.

¿Cómo ven las mujeres el liderazgo? De acuerdo a Marcela Lagarde y de los Ríos, las mujeres que estamos en política, carecemos de nombres para las cosas que realmente queremos. En lugar, adoptamos el lenguaje patriarcal de guerra y dominación. A menos que inventemos una manera propia de nombrar nuestros objetivos o metas, no podemos reinventar el mundo.

Para entender el estado actual de los movimientos de mujeres en América Latina necesitamos comprender tanto su diversidad como decidir si verdaderamente queremos construir un mundo en paz basado en la justicia y la igualdad. Marcela insiste en que las formas de liderazgo creadas por mujeres son atractivas porque provienen del interior, emanan del corazón, de lo que somos físicamente y de lo que queremos. La gran mayoría de mujeres activistas trabajan contra la violencia (hacia la gente, los animales, la naturaleza) porque ellas entienden el daño que hace la violencia a todos los seres vivos. Pero también aspiran a un mundo más pacífico, en donde sociedades igualitarias aseguren que cada persona tenga acceso a comida, agua, salud, felicidad. Inclusive si esta última es intermitente, todo el mundo tiene el derecho a experimentar prosperidad y alegría. Marcela dice que donde la violencia predomina, algunas personas pueden disfrutar el poder, pero que allí la verdadera felicidad no existe.

Marcela Lagarde y de los Ríos ha escrito unos veinte textos sobre antropología y feminismo —una guía esencial en el mundo hispanoparlante— y es una de las principales defensoras del feminismo pacífico en América Latina. Ha capacitado a miles de mujeres y de hombres a lo largo de su vida. Sus técnicas de enseñanza combinan ciencia sólida con práctica accesible y efectiva, y la escucha activa con el aprendizaje de la experiencia colectiva.

Su taller nos enseñó las características claves del liderazgo feminista, en particular dos. La primera es que nuestras líderes trabajan a través de la persuasión. Mujeres de todas partes, a pesar de haber sido marginadas y discriminadas, no buscan imponer sus puntos de vista sino convencer, y usualmente logran resultados duraderos que benefician amplios sectores dentro de las comunidades y de la sociedad en general. La historia del liderazgo feminista está marcada por el intento de cambiar un mundo desconfiado que desacredita las palabras de las mujeres, sobre todo cuando proponemos cambios radicales en las relaciones entre géneros. A pesar de esa desconfianza las mujeres son defensoras firmes, consistentes y persistentes. De acuerdo a Marcela, las mujeres de hoy continúan las tradiciones de la Ilustración. Las líderes tratan de traer los conocimientos a la luz a través de argumentos, usando la razón, que asumimos es universal.

La segunda característica más importante del liderazgo feminista es que nosotras ganamos debates ideológicos complementando la discusión con acciones precisas, concertadas y colectivas. El liderazgo intelectual y comunitario de las mujeres tiende a ser activo y persuade a través del ejemplo. Hay millones de líderes extraordinarias trabajando alrededor del mundo en pequeñas y grandes comunidades. Las mujeres activistas, según Marcela, están intentando algo extraordinario y nuevo: Tomar una idea del mundo en la que queremos vivir, y convertirla en la vida misma. Buscamos transformar ideales utópicos en piedra angular de la práctica particular y colectiva. Cada mujer líder, usando las ideas que ha internalizado, traduce en experiencia vivida las alternativas que desea para el mundo. Este nexo de pensar, ser, existir y sentir es esencial para nuestro liderazgo.

Históricamente, el liderazgo de los hombres ha dependido típicamente de individuos carismáticos —y adquiere coherencia no por pensar y vivir sino por imponer reglas y obedecerlas, acumulando riqueza y siendo respetados por tenerla. Las mujeres de hoy plantean un cambio de paradigma epistemológico al buscar aplicar proposiciones utópicas a la manera en que vivimos todos los días.

Marcela Lagarde de los Ríos es una feminista que incorpora una perspectiva única de paz en cada aspecto de su enseñanza. Ella acompaña y alienta a mujeres feministas y hombres a medida que profundizan en las relaciones mutuas, a medida que descifran las fallas que heredaron cuando su identidad de género se formó, al evaluar cuándo y cómo formularon —quizás en su juventud— sus ideas acerca de poder, liderazgo e igualdad.

Esta mexicana, doctora en antropología, etnóloga, feminista, madre de tres hijos y una hija, activista y profesora, que cumplió 68 años en 2016, ha reforzado el vínculo entre idealismo y activismo. Hace veintidós años aprendí de sus propios labios que una de las más grandes contribuciones del feminismo al mundo es poner la ética antes que la política porque la ética prefigura y configura la política. De Marcela aprendí que las desigualdades de género en América Latina son parte de nuestra política cultural nacional. Proclamar la igualdad de género o incluso promulgar leyes para asegurarla no transforma necesariamente la vida de las mujeres, las normas educacionales o los estereotipos culturales. También descubrí que en la práctica, la gran D, Democracia y Desarrollo no fueron formulados o planeados para incluir a las mujeres como protagonistas de la historia. La democracia fue concebida por los hombres —aunque las mujeres marcharon a su lado para conseguirla.

Ahora enfrentamos un desafío más grande: Construir la paz sobre una nueva base, a través de la revisión crítica del concepto moderno de democracia. Debemos ser capaces de cuestionar suposiciones de larga data como la *adultocracia* que maltrata a los niños y los concibe más como objetos que como sujetos con derechos. Marcela nos dice que la paz debe construirse sobre una base de liderazgo crítico y congruente. Nunca antes las mujeres del mundo habíamos estado tan interconectadas: africanas, latinoamericanas, europeas, asiáticas, australianas y nórdicas estamos trabajando juntas a través de la identidad de género en todo tipo de esfuerzos por primera vez en la historia de la humanidad. Hoy, más que nunca, las mujeres disfrutan de una conexión paradigmática que envuelve sentimientos, filosofías, prácticas de vida y acciones concretas, cada una haciendo eco y apoyando a las otras.

Así es como las mujeres, jóvenes independientes y ancianas sabias, adultas y niñas, estamos construyendo la paz así como reinventamos el mundo. Gracias a maestras como Marcela Legarde y de los Ríos, muchas de nosotras hemos decidido llevar el altavoz y la linterna, convirtiéndonos en modelos a seguir e iluminando el camino, ofreciendo casa y puerto seguros a aquellas mujeres y hombres que también sueñan con que la igualdad y la justicia sean los dos pilares de la paz, donde el bienestar, la diversidad y la felicidad tengan cabida.

LYDIA CACHO es una de las más prominentes periodistas investigativas de México. Sus escritos se enfocan principalmente contra la violencia y el abuso sexual de mujeres y niños. Ha ganado premios internacionales por su trabajo como el *Amnesty International's Ginetta Sagan Award for Women and Children's Rights* y el *Oxfam/Novib Pen Award*.

NATALYA ESTEMIROVA

Natalya Estemirova era una reconocida periodista internacional rusa quien reportaba regularmente sobre abusos de derechos humanos en Chechenia. Era también miembro de la junta directiva de la organización de derechos humanos *Memorial*, y era asesora regular para *Human Rights Watch.* En el 2009, Estemirova fue secuestrada y asesinada.

ARMADA SOLO CON UN DICTÁFONO

Por Anna Nemtsova

En un martes soleado en julio del 2009, recibí una llamada telefónica de un amigo en Grozny, Chechenia. Mi amigo sonaba asustado. Las noticias no eran solamente malas sino que me tocaban personalmente, y tristemente eran previsibles. "¡Secuestraron a Natalia en el patio de su casa!".

Natalya Estemirova, la defensora rusa de derechos humanos de 51 años de gran corazón, conocida por sus muchos amigos y colegas como "Natasha", había sido tomada de forma violenta por cuatro hombres armados cuando salía de su casa esa mañana. Con los vecinos mirando aterrorizados, los hombres metieron a Natasha en un automóvil blanco sin placas y se dieron a la fuga.

Más tarde ese día, otra llamada me trajo el trágico desenlace: "La asesinaron".

Supe que los secuestradores llevaron a Natasha de Chechenia a la vecina República de Ingushetia. Su cuerpo fue encontrado esa misma tarde. Yacía al lado de la carretera, el rostro golpeado y las manos atadas, con heridas de arma en su cabeza y pecho. Como periodista rusa cubriendo violencia, corrupción y opresión en la región, había llegado a conocer a Natasha personalmente como una abogada incansable por la justicia. Fue una guía invaluable que rápidamente se convirtió en amiga. Cuando viajaba a Grozny para reportar sobre la terrible situación allí, Natasha nos invitaba a mí y a mis colegas a quedarnos en su casa.

Vivía con su hija adolescente, Lana, en un apartamento diminuto de dos cuartos en el último piso de un edificio de nueve plantas. No había agua corriente y el ascensor no funcionaba. Recuerdo la primera vez que nos mostró, señaló un enorme hueco de metralla en la pared que separaba el cuarto de la hija del pasillo. "Miren la nueva ventilación". Su sentido del humor seco levantaba el estado de ánimo. "Nunca tengo tiempo de arreglarlo, entonces ahora es parte de nuestro diseño interior". Una activista de los derechos humanos en un lugar que necesita de ellos desesperadamente, Natasha tenía problemas mayores que el confort de su propia hija.

Cuando era joven, Natasha obtuvo su grado universitario en historia y se convirtió en profesora. Su esposo murió durante la primera guerra chechena con la Federación rusa que comenzó en 1994. La guerra, muy impopular para los rusos, terminó en 1996. Después de la muerte de su marido, Natasha comenzó a trabajar como corresponsal para periódicos locales y para televisión, reportando o filmando documentales acerca de las víctimas de los abusos del gobierno ruso. Aunque continuó enseñando por varios años, había comenzado un camino diferente. "Esto fue cuando me convertí en una activista de corazón de los derechos humanos". Eso fue todo lo que me contó sobre su vida privada. No le gustaba hablar sobre lo que le pasó a su marido, pero entendí que haberlo perdido fue en parte lo que la llevó a exponer la opresión, secuestros y torturas condonados por los líderes rusos.

En los días que siguieron a su secuestro, me pregunté a mí misma y a otros periodistas y activistas: ¿Quién ordenó el asesinato de Natasha?

Los colegas de Natasha de *Memorial*, la histórica sociedad rusa de derechos civiles donde trabajaba, creían y así lo declararon públicamente que el jefe de la República Chechena, Ramzan Kadyrov, estaba detrás del crimen. Kadyrov es un controvertido personaje en la región, y ha sido asociado regularmente en los medios con crueles violaciones a los derechos humanos, robo de fondos públicos, y protección de criminales.

Dos años antes de su asesinato, Natasha había aceptado un puesto como jefe de una comisión consultiva de la sociedad civil para Grozny, la capital chechena, presidida por el presidente Kadyrov. Mientras cumplía su papel como consejera para el gobierno local, continuó presentando informes para *Memorial*, muchos de los cuales exponían las políticas opresivas de Kadyrov y los métodos violentos para aplicarlas. Un reporte en el que denunciaba la decisión de Kadyrov de prohibir a las mujeres asistir a la universidad sin cubrir la cabeza, lo enfureció. La mandó a llamar, le gritó por cuestionar sus políticas, y la despidió de la comisión. Ella me contó que Kadyrov la amenazó en varias ocasiones.

Pero Natasha nunca paró de escribir acerca de Kadyrov y de su gobierno. Corriendo de aquí para allá con su portátil y un dictáfono, trabajó con una obstinada determinación. Ella y sus colegas de *Memorial* documentaron y divulgaron 76 casos de secuestro en solo cl 2009, un salto de los 35 casos que habían destapado el año anterior. En total, *Memorial* ha documentado 5.000 casos de desaparecidos desde el comienzo de la primera guerra chechena en 1994. Natasha lo llamó una "epidemia de secuestros", un flagelo respaldado personalmente por Kadyrov.

En una ocasión llamé a Natasha desde Moscú para saber

más. "Ven y mira por ti misma", me dijo "Los bandidos están disparando a los chechenos como conejos". No temía expresar esto públicamente, y su desafío enfureció al salvaje líder checheno.

El día que me enteré del asesinato de Natasha, viajé a Chechenia para asistir al funeral. No podía parar de pensar en el horror y el dolor que debió haber sufrido en sus últimas horas de vida. Había usado su entrenamiento como historiadora para describirme geográficamente casos de secuestro, entonces yo podía escuchar la voz de Natasha describiendo sus últimas horas. Muchos de los casos acerca de los que escribió se comparaban con el suyo: un secuestrado empujado dentro de un carro por hombres vestidos de civil o por militantes, a la vista de testigos.

Mucha gente se siente sin esperanza acerca de la búsqueda de justicia en la Rusia de hoy, en donde los críticos del gobierno pierden su trabajo, van a prisión o son secuestrados y asesinados. Pero Natasha nunca perdió la esperanza frente a estos peligros. Más bien, la misión que eligió fue exponer tales amenazas y tratar de hacer un cambio positivo.

Natasha también sabía la clase de poder al que se enfrentaba, Kadyrov era el gobernador favorito del presidente Vladimir Putin, leal a este, que tenía autoridad sin fin y a quien se le perdonaban todas las violaciones.

En una entrevista que le hice para el *Newsweek* Natasha me contó que "El Kremlin dio luz verde para usar servicio especial y milicia local para hacer lo que quisieran aquí, bajo la condición de la lealtad absoluta de Chechenia a Rusia".

En otra ocasión en que Natasha y yo estuvimos despiertas toda la noche en la cocina de su apartamento, hablamos acerca de cómo el Kremlin ignoró la violencia perpetrada por los hombres de Kadyrov en Chechenia. Los hombres tenían tanto terror al punto que la mayoría temía siquiera hablar con activistas de derechos humanos como Natasha. Esa noche en particular, yo estaba impresionada por los contrastes que reflejaban la situación general en Chechenia. Ahí estaban Natasha y su hija viviendo en un edificio deteriorado por el tiempo sin agua corriente, trabajando para mejorar las vidas de otras personas, mientras que Kadyrov, el opresor, vivía en una lujosa residencia con su propio zoológico.

Hoy, Kadyrov también tiene un palacio, con el interior en mármol y oro falso, palmeras y enormes retratos del presidente Putin colgando en las paredes.

¿Quién mató a Natasha? Le pregunté a Kadyrov en 2014, en la víspera de los juegos olímpicos de Sochi, cuando lo entrevisté en su palacio. "Mis enemigos, esos que quieren socavar mi reputación, todo el trabajo que he hecho por Chechenia", respondió. Ya me habían co ntado que él evitó que se hiciera una investigación seria en el asesinato de Natasha.

Desde que Natasha fue asesinada, el flujo de víctimas aplicando a *Memorial* por ayuda para encontrar a sus seres queridos se ha disminuido al mínimo. Solamente las familias que han perdido toda esperanza de siquiera ver a sus seres queridos de nuevo, están lo suficientemente desesperadas para pedir ayuda a los defensores de derechos humanos. Es su último recurso. Las oficinas de *Memorial* se sienten vacías la mayor parte del tiempo, aunque los colegas de Natasha se rehúsan a dejar de trabajar. Haciéndolo, están corriendo graves riesgos: su profesión es altamente peligrosa en esc país. En los dos últimos años, las autoridades rusas han condenado grupos civiles como *Memorial* como "agentes extranjeros" por aceptar ayuda económica de Occidente para continuar con su trabajo.

Las pocas organizaciones no gubernamentales que quedan en Chechenia experimentan ataques constantes de Kadyrov y sus secuaces. En 2014, abogados de *Joint Mobile Group* con el Comité para la prevención de la tortura, que investiga alegaciones de torturas y abusos por el Estado, detuvieron actividades después que sus oficinas fueron incendiadas y los empleados amenazados.

Si Natasha estuviese todavía con nosotros, puedo imaginármela sentada, derecha, sacudiendo su melena espesa y brillante y diciendo a su manera: "Algo se tiene que hacer urgentemente". Y después iría directo a trabajar, motivando a otros para que se le unieran. La gente decía que Natasha podía hacer que los muertos se levantaran y caminaran por una buena causa.

Recientemente escuché que los abogados de *Mobile Group* se habían mudado al que fuera el apartamento de Natasha, aún con el hueco en la pared. Parece apropiado que el apartamento hospede ahora a gente joven de diferentes regiones de Rusia que se dedican a ayudar a víctimas de tortura, incluso asustados, chechenos oprimidos evitan la ayuda de los pocos grupos de derechos humanos que quedan.

En el clima actual, no muchas mujeres rusas entenderían a Natasha. ¿Por qué una madre soltera dejaría pasar asilo político en Europa para vivir en el último piso de un edificio sin ascensor y con botellas de agua para darse una ducha?

Aquellos de nosotros que la conocíamos de cerca sabíamos que Natasha había estado en conflicto semanas antes de su secuestro acerca de qué hacer con su vida: si permanecer en Chechenia ayudando a aquellos que sufren injusticias, o irse y comenzar una nueva vida con Lana, en un lugar seguro. En la Rusia de hoy, la mayoría de las personas se escapan del país después de la primera advertencia, sin esperar por amenazas.

Natasha trató de tomar descansos de Chechenia —dos veces intentó establecer una vida diferente con su hija en Europa. Pero cada vez, no pudo evitar regresar a su patria en problemas para reportar torturas, secuestros y asesinatos. Siguió muchas de sus investigaciones por años y estaba comprometida hasta el final. Seguía una regla simple: nunca abandonar una investigación hasta que supiera que no se podía hacer nada más.

Era mucho más que una activista. Era un ser humano compasivo. En su funeral en la ciudad chechena de Koshkeldy, conocí a una mujer con el corazón roto llamada Dehi Inderbiyeva que lloraba como un niño en la baranda de la casa cuando le dimos el último adiós a Natasha. Me contó que una fuerza militar rusa quemó viva a su hermana en 2000. Cuando este hecho infame ocurrió, Inderyeva estaba embarazada y quedó tan traumatizada que dio a luz a un niño prematuro discapacitado. Compartió conmigo un detalle que dice mucho acerca de Natasha. "Solo unos días antes de ser asesinada, Natasha vino a visitarnos" dijo. "Sabiendo lo pobres que somos, trajo una maleta para la escuela y libros para mi hijo. Perdimos a un ángel de misericordia".

Cuando decíamos adiós a Natasha aquel día, Lana nos dijo: "No quiero ver el cuerpo de mi madre. En mi memoria ella siempre será la persona más fuerte y más viva en el mundo. Mi madre fue asesinada por confrontar la guerra en contra de gente pacífica".

En 2015 fui honrada con el *Courage in Journalism Award* de *International Women's Media Foundation*. Desearía poder compartir este premio con Natasha. Cuando releo su documentación no filtrada de tortura, secuestros y asesinatos extrajudiciales en Rusia, sé que era la mujer más valiente que he conocido.

ANNA NEMTSOVA es una reportera en Moscú. Ha publicado en *Foreign Policy*, *The Washington Post*, *The Guardian*, y *Al Jazeera*, entre otros. Es también corresponsal para *Newsweek* y

The Daily Beast. En 2015, Anna ganó el *International Women's Media Foundation's Courage in Journalism Award.*

LEYMAH GBOWEE

Leymah Gbowee ganó el Premio Nobel de la Paz en 2011 por su trabajo liderando un movimiento de paz de mujeres que llevó la segunda guerra civil de Liberia a su fin. Ella viaja por el mundo hablando acerca de la violencia basada en el género y mujeres liderando la construcción de la paz en países en conflicto. Es la fundadora y presidenta del *Gbowee Peace Foundation Africa*, y cofundadora del *Women's Peace and Security Network Africa*, y es miembro de la junta directiva de *Nobel Women's Initiative.*

LECCIONES DE UNA HEROÍNA PACIFICADORA

Por Danai Gurira

Aprendí mi primera lección de la ganadora del Premio Nobel de la Paz, Leymah Gbowee, mucho tiempo antes de conocerla.

Ser valiente

Hay una audacia desnuda en Leymah. Cualquier persona que haya pasado un minuto en su presencia sabe esto. Pero la audacia se gana duramente a través de la expresión de un corazón feroz en circunstancias extremas, por atreverse a ser impopular, por desafiar. La audacia de Leymah consiste en una absoluta firmeza de carácter, determinación y en su esencia misma, en mucha esperanza y amor.

Su historia es difícil de creer. Ella la cuenta de una manera bella y visceral en su autobiografía *Mighty Be our Powers: How sisterhood, Prayer, and Sex Changed a Nation at War.* Leymah nació y se crio en una familia de clase media en Monrovia, Liberia, antes de que su mundo fuera destrozado por una guerra civil atroz. Fue separada de su familia, presenció la más horrenda brutalidad, y vivió en condiciones miserables y en peligro grave y constante. Mientras criaba a sus cinco hijos, se volvió una víctima de violencia doméstica. Una vez logró dejar a su abusador, el regreso a la casa de sus padres no fue jubiloso. Sufrió de depresión y de pobreza y no vio futuro para ella. Fue cuando su verdadero llamado golpeó en su puerta.

Para contar la historia de alguien y dejar saber al mundo lo que se ha sufrido, junto con todas sus imperfecciones, se requiere mucho valor. Y el valor, como sabemos, no es siempre fácil de encontrar.

Como dramaturga, con frecuencia encuentro a mujeres, a jóvenes escritoras con miedo de dar a conocer la carga en sus corazones y contar sus historias por miedo a una respuesta desfavorable. Una mujer debe ser valiente para manifestar su visión del mundo. Esta es nuestra misión —sin importar la respuesta. O conspiraremos en silencio contra nosotras mismas.

Llegué a la historia de Leymah a través del documental *Pray the Devil Back to Hell*, que cuenta como cinco mujeres in Liberia —incluyendo a Leymah— trajeron el fin de la guerra civil en su país. Lo lograron a pesar de las divisiones étnicas y religiosas, trabajando por la paz con mujeres que tradicionalmente estaban en el "otro bando". Conozco el documental de principio a fin porque es la base de mi obra *Eclipsed*. Lo he visto incontables veces con artistas a quienes desearía transformar a través del corazón y del alma de Liberia, antes de que intentemos retratar este país y a sus mujeres en mi obra. Algunas personas gravitan alrededor de un superhéroe como *Batman* o *Spiderman*; esos tipos no tienen nada de Leymah. Mirarla luchar por la paz es saber lo que es el verdadero valor: mirar lo que es realmente un superhéroe.

Leymah lideró miles de mujeres cristianas y musulmanas de Liberia en oraciones casi diarias y protestas no violentas, todo durante el régimen brutal del entonces presidente Charles

Taylor. Trabajaba desde un lugar de urgencia —en nombre de personas que no tenían voz y en una nación destrozada por una guerra sin sentido. Llegó en un momento de ferocidad y desesperación en nombre de la paz, y luego cambió la marea en un proceso de paz vacilante.

Docenas y después cientos de mujeres acamparon afuera del hotel donde facciones en guerra estaban teniendo diálogos de paz que no estaban yendo a ninguna parte. Las mujeres se sentaron en el suelo y se rehusaron a irse. En lugar, pasaron mensajes al líder negociador y en un momento amenazaron con quitarse toda la ropa para avergonzar a los negociadores. Su protesta pacífica funcionó. Los diálogos fueron más serios y en semanas, un tratado de paz se firmó. Oficialmente la guerra civil había acabado.

Construir la paz es una actividad ruidosa y desordenada. No se comporta y no espera ser conveniente. Es audaz.

Cuando finalmente conocí a Leymah en Londres hace un par de años, yo balbuceaba en su presencia. Hablando con ella me di cuenta cuán alentador ha sido para mí observar su vida y su trabajo, siendo yo una mujer que intenta afirmar voces y caras femeninas africanas en espacios públicos; en mi caso, el escenario.

Habiendo crecido en el sur de África, siempre me sentí un poco fuera de lugar. Cuando era niña se me permitía opinar en casa, escuchar mi voz era importante, y mi mente tenía que considerar resolver y compartir cosas. Pero con frecuencia el mundo fuera de casa me decía otras cosas, y las reglas se aplicaban de forma diferente que a mis compañeros hombres. Ese sentimiento no era para nada "pacífico". La desigualdad se manifestaba a mi alrededor como opresión.

Cuando miro el trabajo de Leymah, me doy cuenta que nunca ha hecho nada silenciosamente. La paz es audaz por naturaleza, y la audacia tiene volumen. Para una mujer africana parlanchina como yo, buscando ser parte del cambio, esto me sirve de apoyo. Quizá, solo quizás, mi niñez asertiva que fue silenciada y amenazada cuando crecí, estaba bien. Y a las pequeñas niñas africanas que vienen después que nosotras, que pueden sentirse fuera de lugar, nuestro ejemplo les recuerda que la valentía y la franqueza están en nuestro ADN: no es un error.

Invertir en la siguiente generación

Me preocupa que mucha gente joven sienta que la audacia y el progreso son inalcanzables, que salir en nombre de una sociedad mejor, con el corazón en llamas, lo hace a uno anticuado o, como Leymah dice "indeseable". Mientras conversaba recientemente con Leymah en su apartamento de New York, me habló de mujeres jóvenes —de lugares prestigiosos como *Barnard College*— que le contaban que no deseaban ser percibidas como muy inteligentes porque esto asustaba a los hombres. Añadía que el amor propio es un bien que las jóvenes deben alimentar para poder ser pacificadoras.

"Lo popular es que hay que ser percibidas como un símbolo sexual para serlo" Leymah dice. "Esta cultura de la celebridad está realmente penetrando en África. Mirémonos a nosotras mismas. Decir que eres capaz de ofrecer más al mundo de aquí a aquí (señalando el torso desde el pecho hasta los muslos), "¿Entonces, qué pones ahí? (señalando su cráneo). "Si actúas como tonta, seguirás siendo tonta".

La gente de Leymah, los Pele, lo ponen de esta otra forma: "Un niño que se lava las manos muy bien, come con reyes". Para Leymah "lavar muy bien" significa trabajar duro y respetar el proceso. "En África hemos perdido la costumbre de aprender de la gente mayor". "Todo el mundo quiere ser ministro o presidente tan pronto como salen de la universidad. Yo les digo: cuando una bebé nace primero se acuesta sobre su vientre, después aprende a gatear y después da sus primeros pasos. Pero todo el tiempo los adultos están alrededor, guiándola hasta que está lista para caminar sola".

La preocupación de Leymah por la siguiente generación refleja su espíritu conciliador. Todo lo que hacemos es para que los niños que vienen detrás puedan experimentar un mundo mejor que el que nosotros heredamos. Damos un paso a la vez.

La paz requiere perseverancia

Leymah pudo haber sido solo una víctima más, una estadística. Pero se atrevió a imaginar un mejor mañana. Prosiguió una educación más alta, obteniendo su maestría en Transformación del conflicto y Construcción de la paz. Lenta pero segura, construyó una vida mejor, no solamente para sus propios hijos, sino para una nación entera. Leymah habla ahora de cómo Dios utilizó sus luchas para convertirla en un ejemplo de inspiración para otras mujeres luchando en circunstancias similares alrededor del mundo. "Soy la refugiada siria, la niña desplazada internamente en el Líbano y la mujer abusada en el albergue aquí en Estados Unidos".

Se reúne con un grupo de feministas africanas cada dos años. En un momento, consideraron incluir hombres en sus encuentros, pero al final decidieron no hacerlo. El espacio que crearon es para compartir, para ser vulnerables, para sanar y rejuvenecer. Es un lugar seguro que da a las mujeres la energía para regresar a la larga y dura lucha. Leymah y sus colegas a lo largo del continente son feministas en su forma de abordar la paz. Es un proceso lento que implica derribar las normas sociales, algunas de las cuales vienen de tradiciones y creencias culturales difíciles de cambiar. Pero las mujeres están levantando la voz alrededor de la mesa de negociaciones y ganando respeto.

Leymah contó la historia de cómo tuvo que intervenir para proteger a una mujer que fue violada por un hombre prominente en Liberia. Otros hombres trataron de intimidar a la mujer y de desviar su testimonio durante el juicio. Leymah intervino dejando claro que estaba al tanto de los intentos por impedir que se hiciera justicia. Advirtió a los hombres que expondría sus tácticas a los medios y más, si persistían. Ellos pararon pero no antes de tratar de hacer un trato por fuera de la corte para que ella dejara el caso, a lo que se rehusó. La paz significa acabar con lo de siempre.

La paz es prometedora

Una madre, esposa, autora, pionera, rebelde, sobreviviente de guerra y de abuso doméstico, feminista, ganadora del Premio Nobel de la Paz, constructora de paz, Leymah personifica la esperanza en todo su poder transformador.

Lo que me da esperanza es que hay una completa generación de mujeres africanas líderes que están redefiniendo lo que significa liderazgo. Sí, hay mucho más por hacer, pero ya hemos llegado muy lejos. Leymah dice que no solo hay que conversar en la mesa del café y dejarlo allí. Debemos ir a la batalla y salir victoriosas. La problemática de la mujer es real e importante, desde la mutilación genital y el matrimonio infantil, hasta la violencia sexual durante el conflicto. Pero las mujeres están también por delante, usando soluciones africanas para problemas africanos.

El tiempo que pasé con Leyman en New York, me inspiró y me desafió a hacer más. También me sentí más que nunca llamada a asegurar que las historias de las constructoras de paz y superhéroes como Leymah sean conocidas a lo largo y ancho. Cuando empezamos a hablar yo no sabía que ella cristalizaría mis metas en la vida. Pero para mí tiene sentido ahora. Los superhéroes impulsan a otros a seguir su llamado escogiendo vivir con valentía —y eso fue lo que Leymah hizo por mí.

DANAI GURIRA es una actriz y dramaturga nacida en Estados Unidos y criada en Zimbabue. Su aclamada obra de Broadway, *Eclipsed,* cuenta la historia de cinco mujeres y su relato de supervivencia cerca del final de la segunda guerra civil de Liberia. Gurira es conocida por su papel en la popular serie de televisión *The Walking Dead.*

REBECCA MASIKA KATSUVA

Rebecca Masika Katsuba era una líder de los derechos humanos muy respetada en la República Democrática del Congo. Después de que junto a sus hijas sobrevivieron brutales ataques sexuales en el oriente del Congo, estableció una organización que provee albergue, recursos y cuidado compasivo a víctimas de ataques sexuales y a sus hijos. Rebecca murió en el 2016.

"MAMÁ MASIKA"

Por Fiona Lloyd-Davies

Masika era una mujer diminuta, medía escasamente 1,50 metros, pero como persona era una gigante. Con frecuencia estaba apurada, y en el momento que estoy recordando, estaba irritada. Yo la estaba reteniendo. "Fiona" dijo "No tengo tiempo para sentarme y hablar contigo. Si no salgo al campo y consigo tapioca, nos vamos a morir de hambre". "No hay problema" dije "iré también".

Era en el 2011 y yo había ido a la República Democrática del Congo oriental a filmarla. Durante los últimos cuatro años he estado recopilando imágenes para hacer un documental de larga duración llamado *Semillas de esperanza*. En cada visita filmé diferentes aspectos de la vida y trabajo de Masika, con la esperanza de poder capturar su historia extraordinaria. Es un relato de supervivencia y esperanza vivida en el desafío de la violencia física y psicológica casi insoportable que tuvo que sufrir.

Estamos en Kivu del Sur, una provincia del oriente de Congo donde está todo por hacer debido a la abundancia de riquezas naturales, y aún tratando de deshacer la larga sombra proyectada por la novela *Heart of Darkness* de Joseph Conrad. Junto con Kivu del Norte, su reputación infame se propagó a través de años de guerra y violencia, especialmente actos violentos cometidos contra las mujeres. Margot Wallstrom, ex relatora especial de la ONU sobre violencia sexual en conflicto, dio al Congo Oriental su título tóxico de "capital de la violación en el mundo".

Aquí se libró una guerra civil, eligiendo como blanco a las mujeres y sus cuerpos, por más de 20 años. En el apogeo de la guerra, se estima que 48 mujeres eran violadas cada hora en la República Democrática del Congo. Esta violencia era deliberada: la violación es una de las más efectivas armas en una guerra. El acto fractura la comunidad y separa a las familias. La violación apunta al corazón mismo de la sociedad: la madre, la esposa, la hermana, la hija. Una mujer sabía esto mejor que la mayoría. Masika fue violada en cinco ocasiones, todas las veces excepto una, por bandas de hombres armados.

***

Incluso en la estación más seca, Congo Oriental es exuberante. Campos de maíz dorado, moviéndose al compás de la brisa, crecen hasta los hombros en semanas, sus tallos parecen casi tocar el cielo. Tormentas eléctricas terribles iluminan de rosado y azul las noches de terciopelo, saciando la tierra sedienta con enormes gotas de agua. La naturaleza es abundante pero también lo es la violencia. Puede ser que nunca se llegue a establecer el número exacto de víctimas, pero según estimaciones, cerca de seis millones de personas han muerto desde que la guerra comenzó en 1996, mientras que cientos de miles de personas —mujeres, niños, hombres e incluso bebés— han sido violados.

Masika me saca de la carretera principal y baja por un estrecho sendero de tierra color ocre, bajo el resplandor del sol. El sendero es apenas lo suficientemente amplio para una persona, pero una pareja mayor nos pasa. El hombre sostiene un paraguas multicolor sobre su esposa para protegerla del calor. Masika no tiene un protector así. Su marido, Bosco, el amor de su vida, fue masacrado en frente de ella en 1998, en el punto más álgido del conflicto. Hombres uniformados irrumpieron en su casa, mataron a Bosco, y violaron a Masika y a sus dos hijas adolescentes. Ese evento marcó el resto de su vida. Excluida por su familia política y expulsada de su casa, se fue llevando solamente lo que le cupo en una bolsa plástica. Junto con sus dos hijas embarazadas, Masika fue forzada a buscar un nuevo camino.

Mucho tiempo después me contó que fue la bondad de las mujeres lo que le devolvió la salud física y salvó su salud mental en los meses que siguieron a la tragedia que acabó con su antigua vida. Fue la bondad la que la obligó a seguir su ejemplo. Desde entonces ha comprometido su vida en rescatar a sobrevivientes de violencia sexual, incluyendo niños huérfanos o rechazados por haber sido violados. No ha sido un trabajo fácil: la violencia parecía despiadada, de nunca acabar, y con frecuencia era extremadamente peligrosa. Unos soldados violaron a Masika en cuatro oportunidades más para castigarla por haber hablado contra ellos y su violento tratamiento a las mujeres.

"Se detiene en un campo cultivado y recoge unos pimientos pequeños. Mientras se los come, me cuenta "Nunca sé cuándo voy a conseguir mi siguiente comida". Sonríe cuando lo dice porque el hambre no es lo peor que hay que soportar. Hay campos en todas partes. Es tiempo de cosecha y los vestidos en colores vivos de las trabajadoras contrastan con el verde y el amarillo de la tapioca y el maíz. Algunas mujeres están desyerbando, otras, con sus bebés en sus espaldas, están desgranando el maíz y poniéndolo en sus canastas. Conversan entre ellas, compartiendo chismes y sabiduría. Ocasionalmente, se oyen las risas. Señalando a la izquierda, Masika me muestra una sección de tierra sin cultivar que le dio recientemente un donante estadounidense. Dice: "En pocas semanas la prepararemos para plantar".

"Este es mi campo personal", dice Masika, señalando otro pedazo de tierra. "Con árboles de tapioca creciendo al lado de una colina. Esta es la que uso para alimentar a todos en el centro". Los saludos cálidos que recibe de las mujeres que están trabajando en su campo son reveladores. La conocen. Su trabajo es valorado por la gente que ha necesitado su ayuda en el pasado o que la puede necesitar en el futuro.

Masika no fue un tema fácil de filmar. Con mucha frecuencia no la podía encontrar. Estas desapariciones usualmente significaban que había recibido noticias de un ataque en otra aldea. Probablemente había mujeres que habían sido violadas, bebés huérfanos o incluso violados. En muchas ocasiones, caminaba días a una aldea en la montaña, encontraba sobrevivientes y los cargaba en su espalda, para llevarlos al centro o directamente al hospital.

Sus historias de rescate eran asombrosas. Por ejemplo, escuchó de un nuevo ataque en Ufamandu, una remota aldea en las altas llanuras, que había sido atacada antes por el *Interhamwe*, la misma milicia de Ruanda responsable por el genocidio en 1994. Ella y algunos acompañantes entraron en la aldea para encontrarse con viviendas todavía ardiendo y cadáveres yaciendo en el mismo sitio donde habían sido ultimados. Creyó oír llantos y comenzó a buscar entre los restos. Sus acompañantes dijeron que ella escuchaba a los espíritus de los que venían de morir, gritando en la confusión. Pero Masika era obstinada: "Puedo oír un bebé llorando" dijo. Continuó buscando y finalmente encontró un niño diminuto, tratando de mamar el pecho de su madre muerta.

Me está mostrando una pila de raíces de tapioca, apilada y lista para llevar a casa, cuando su teléfono celular suena. Todos aquí dependen del celular, virtualmente la única invención moderna que aún funciona y mantiene el país funcionando, pero a duras penas. Masika está pálida, son malas noticias. Un bebé que llegó hace poco al recinto está muy enfermo. Debemos regresar de inmediato.

Encontramos a Espoire, el bebé de ocho meses, lánguido, casi sin vida. Masika lo baña en agua fría para bajar su temperatura. Una de las niñas tiene un bolso listo. Me cuentan que esto pasa todo el tiempo. "Encontré a Espoire en una aldea después de un ataque" dice Masika mientras vamos al hospital. "El jefe de la aldea dijo que los milicianos ordenaron a las madres que arrojaran a sus bebés y que los golpearan hasta matarlos. Cuando la madre de Espoire se negó, la mataron a tiros". Masika encontró al bebé con un brazo fracturado y lo trajo aquí tres meses antes. "Hay momentos" dice "cuando me siento devastada. Pero cuando encuentro un bebé sin madre en el medio de una pila de cadáveres, yo puedo salvarlo. ¡Quién sabe lo que el futuro traiga! Estoy dedicada a estos bebés". "Debo ayudarlos a sobrevivir. Ellos me estabilizan".

Filmar a Masika en el hospital, lavando, vistiendo y alimentando a niños pequeños fue muy conmovedor. Mucha gente la llama "Mamá Masika" porque ha dado a muchos tanto amor, paciencia y educación que ellos nunca tuvieron o que pensaron que habían perdido para siempre. Era capaz de darles algo más valioso que terapia médica: amor constante en un ambiente en donde prevalecen el miedo, la violencia y la inseguridad. Parece que coleccionara a los más pequeños. En un momento, en 2015, tenía a 84 niños viviendo en el centro. Rechazó las súplicas de una organización no gubernamental que trabajaba con ella para que no recogiera más niños. Cuando le preguntaron cómo iba a ser para mantenerlos con tan pocos fondos, respondió: "No puedo dejarlos morir al lado de la carretera".

En esta vida es muy raro encontrar un héroe real, alguien que arriesgue todo por el bien de los demás, pero Masika es una de estas personas. Sobreviviente de múltiples asaltos, se dedicó a ayudar a miles a sobrevivir sus horrores.

Cuando conocí a Masika en 2009, supe de inmediato que era

una persona remarcable, alguien que dejaría una marca indeleble en el mundo. Me marcó a mí también. Pienso en ella cada día y recuerdo su calidez, su sonrisa y su inmensa capacidad de amar. Estar cerca de ella por pocas semanas cada vez durante cinco años, me hacía sentir que estaba en la presencia de una valentía y resistencia inconmensurables. Ella era y sigue siendo una fuente de inspiración y cuando se presentan desafíos que parecen imposibles en mi vida, pienso en ella. Masika me recuerda que no importa lo que pase, una persona diminuta puede significar una diferencia enorme y traer esperanza a una vida que parece arruinada.

Masika fue una hermana para mí y yo me sentía muy honrada de que también ella me llamara "hermana". Habiendo sufrido tanto en la vida, la muerte vino rápido y de repente. Una mañana temprano Masika fue al hospital y murió de un infarto a las 4:00 esa misma tarde. El corazón que había dado tanto, finalmente se paró. Rebecca Masika Katsuva no será olvidada, pero deja un vacío imposible de llenar.

"Ellos piensan que cuando son violados sus vidas han sido destrozadas. Pero nos gustaría que sepan que no es el fin del mundo".
Rebecca Masika Katsuva

FIONA LLOYD-DAVIES es una galardonada documentalista y periodista fotográfica británica cuyo trabajo se enfoca en zonas de conflicto. Sus documentales han sido transmitidos por la *BBC, Al Jazera* y otros. En 2013 publicó *Seeds of Hope*, un documental detallado sobre la vida y obra de Rebecca Masika Katsuva.

SHIRIN EBADI

Shirin Ebadi es un activista iraní, abogada en derechos humanos y ex juez. Ganó el Premio Nobel de la Paz en 2003 por su trabajo para mejorar los derechos humanos en Irán, especialmente los de las mujeres, los niños y los prisioneros políticos. Fue la primera mujer musulmana en ganar el Nobel, y es una de las fundadoras del *Defender of Human Rights Center* en Irán, y cofundadora de *Nobel Women's Initiative*. Su más reciente libro es *We Are Free: My Fight for Human Rights in Iran*.

DISIDENTE POR LA JUSTICIA Y LA EQUIDAD

Por Azadeh Moaveni

Conocí a Shirin Ebadi, defensora de derechos humanos iraní, en un día de invierno del 2000 en Teherán. Yo era una joven reportera para la revista *Time*, cubriendo un juicio muy importante en el que ella y una colega suya participaban.

El verano anterior, estudiantes de la Universidad de Teherán protestaron por el cierre del periódico independiente *Salam*, que estaba liderando un ferviente movimiento popular para tener más libertad de prensa. En represalia, las fuerzas de seguridad y los vigilantes atacaron a los estudiantes en sus dormitorios de la universidad. Prendieron fuego a las puertas, cogieron a las mujeres por el cabello, y empujaron estudiantes por las ventanas. Un estudiante quedó paralizado a causa de la caída; otro, un poeta, fue muerto a tiros. Este asalto dirigido a los estudiantes horrorizó a la capital, y disturbios y demostraciones estallaron en Teherán. Fueron los peores disturbios en Irán desde la revolución de 1979, y el mundo, acostumbrado a un Medio Oriente tranquilo, se transfiguró. La portada de la revista *The Economist,* mostrando a un estudiante sosteniendo la camisa ensangrentada de un amigo, capturó los titulares en esos días, cuando la rabia de los jóvenes de Irán estalló repentinamente en el aire.

En ese día de invierno del 2000, Shirin representaba a la familia de un estudiante que había sido asesinado. La sala de justicia era pequeña, estudiantes y familiares con los ojos llorosos, se alineaban en los bancos. Shirin se enfrentó al juez. ¿Por qué la policía estuvo tan pasiva esa noche? ¿Por qué no intervinieron para prevenir que las fuerzas paramilitares atacaran a los estudiantes? El juez fue breve y los procedimientos del día dieron pocos resultados.

Nadie fue condenado por los crímenes en los dormitorios de la universidad, y las autoridades no reprendieron a la policía. Pero recuerdo la atmosfera eléctrica en la sala de justicia ese día, y las caras expectantes de los estudiantes y familias cuando Shirin levantó la voz para pedir justicia y responsabilidad.

Antes de la revolución, Shirin representó el otro lado de la sala de justicia, presidiendo como juez. Nacida en una familia educada de Irán que creía en el aprendizaje de las mujeres y en el compromiso con la vida pública, siempre quiso practicar el derecho. Para su mente rápida y alerta, su temperamento interesante y vehemente, la injusticia simplemente la ofendía, donde quiera que la encontrara. A mediados de los años setenta, había escalado hasta la más alta Corte en Irán.

No vi más a Shirin hasta que ganó el Premio Nobel de la Paz en 2003 por los largos años defendiendo los derechos de las mujeres y de los niños. Como reportera cubriendo la política en Irán, la he seguido de cerca. Shirin estaba en el centro de casi todo lo progresista que pasaba en el país, ya fuera presionando para lograr leyes más equitativas para las mujeres en lo que concierne a divorcio, herencia o custodia de menores, o representando a los prisioneros políticos más importantes. Fue consejera legal para el movimiento de mujeres, que atrajo la atención alrededor de la región por su comprensión, sus estrategias de base para involucrar a mujeres comunes en la reforma legal.

En 2005, un editor de *Random House* nos reunió para escribir *Iran Awakening*, las memorias de la vida de Shirin durante la revolución iraní y la República Islámica que siguió.

Día tras día nos reunimos en la desierta sala de desayunos de un hotel de Manhattan donde me contó su historia: como una de las primeras jueces iraníes apoyó la revolución de 1979, solamente para que los islamistas que llegaron al poder la despojaran de su puesto. Fue la primera vez que tuvo que recordar con tanto detalle, y en la medida en que los recuerdos emergían de su memoria, por momentos, su cara palidecía y sus hombros se encorvaban.

Me contó acerca del sobrino adolescente de su marido, arrestado después de la revolución por posesión de panfletos políticos prohibidos. Fue solamente cuando la prisión llamó a su madre pidiéndole que fuera a recoger sus cosas que la familia supo que había sido ejecutado.

Habló acerca de reconstruir su carrera a principios de los años noventa ofreciendo asesoría legal a familias, como la de una niña de un pueblo que había sido violada y asesinada. La lucha de su familia para que los asesinos fueran ejecutados se había complicado por la interpretación torcida de la ley sharia o islámica.

A principios del 2000, después de que una pareja disidente fuera acuchillada hasta la muerte en su propio dormitorio, como parte de una ola de asesinatos por un escuadrón estatal de la muerte, Shirin representó a la hija de la pareja. Mientras revisaba los archivos policiales, encontró la lista del escuadrón de la muerte: su nombre estaba ahí.

Recordó tantas cosas. Lloró mientras yo tomaba notas y lloraba también. Ella era alguien a quien la gente buscaba cuando sus seres queridos estaban en problemas, encarcelados o habían sido asesinados. Se convirtió en un refugio simbólico para los iraníes que anhelaban justicia, aunque pareciera fuera del alcance.

Hasta hoy seguimos siendo amigas, más de una década después de haber trabajado juntas por primera vez. Con frecuencia reflexiono en lo afortunada que soy de haber visto en acción a Shirin en aquella sala de justicia hace años. Me siento privilegiada de ser la persona que escogió para transmitir su historia porque la vida de Shirin Ebadi es la historia del Irán contemporáneo.

Su historia no solamente ilustra con cuanta frecuencia las mujeres están en la primera plana de los movimientos para un mejor gobierno y libertad, sino también como sus derechos y expectativas son los primeros en quedar atrapados en el balance pendular interminable entre dos opciones: o la dictadura secular o el Islam revolucionario.

Cuando Shirin y yo pasamos tiempo juntas en Irán a fines del 2005, el Estado le asignó "guardaespaldas" para protegerla. Estaba recibiendo amenazas de muerte bajo la puerta de su casa, y los guardaespaldas nos acompañaban a todas partes, incluso cuando salíamos a comer estaban sentados en la mesa de al lado. No era del todo claro quiénes eran ellos. Como ella misma lo dijo: "¿Qué se puede esperar de personas enviadas por un Estado que te quiere muerta?" Las autoridades estaban nerviosas porque ella tenía ahora la influencia mundial que viene con el Premio Nobel de la Paz.

Con esta extra protección, fue aún más audaz en la defensa de sus clientes. Shirin ayudó a crear un discurso nacional alrededor de los derechos de las mujeres y de los niños.

Los periódicos tienen ahora secciones completas dedicadas

a asuntos de mujeres, desde derechos legales hasta violencia doméstica. Políticos que buscaban altos cargos —por primera vez— comenzaron a apelar a las preocupaciones de las mujeres en sus plataformas electorales. Shirin abogó por una legislación progresista alrededor de los derechos de herencia de la mujer y el aumento de la edad de matrimonio para las niñas.

Antes de recibir el Nobel, el Estado encontró fácil aplastar la vida de una disidente sin que el mundo lo supiera. Ahora, cuando Shirin difunde la información sobre las huelgas de hambre y las muertes bajo custodia, hay titulares alrededor del mundo.

Después de las reñidas elecciones presidenciales en Irán de 2009, cuando los manifestantes del Movimiento Verde estaban pidiendo la remoción de Mahmoud Ahmadinejad, Shirin estaba fuera del país. Y así permaneció en lo que sería un exilio accidental, aparentemente hasta que las cosas se restablecieran. Pero el Estado hizo claro, por medio de acoso a la familia de Shirin en Teherán, que sería peligroso para ella regresar al país. Nosotras continuamos pasando tiempo juntas, reuniéndonos a menudo en Londres donde vivía mi familia, y donde ella venía con frecuencia a visitar a una de sus dos hijas. Era un periodo más tranquilo en su vida, y tuvimos conversaciones más reflexivas que antes, cuando era una abogada activista, y yo una reportera.

Noté cosas acerca de Shirin a las que no había puesto atención. Era la primera mujer que conocía que se consideraba a sí misma abiertamente musulmana practicante y feminista. No veía contradicción entre las dos. Dijo que ahí estaba el Islam, y estaba el patriarcado, y que sería una pérdida muy profunda evitar la propia religión en la búsqueda de la igualdad de género, que no tiene que ser alcanzada a expensas de la fe. Argumentó que era la interpretación del Islam arraigada en el patriarcado la que debíamos desafiar y no el Islam en sí mismo. Su postura es única porque los intelectuales en Irán tienden a burlarse ante el mínimo asomo de piedad, y en los libros que escriben y en las opiniones que mantienen se separan de la mayoría de iraníes quienes están atados a su fe.

Mi propio trabajo estará por siempre en deuda con los puntos de vista de género y religión de Shirin. Cuando recuerdo mis primeros escritos, veo la estrechez —un punto de vista rígido, secular— y la limitación que tenía para entender a otros. Sé que ahora tengo una esfera de acción más amplia gracias a Shirin. Las feministas seculares del Medio Oriente que dicen que el Islam necesita una reforma pueden estar más en boga estos días y quizá sean más apetecibles, pero la política y la visión del mundo de Shirin nunca se han centrado en lo conveniente o en lo fácilmente digerible. Ella ora y cita el Corán, pero también defiende los derechos de las minorías étnicas y religiosas como Baha'i y Baluch.

Algunos críticos dicen que la voz de Shirin es menos relevante ahora que vive en el exilio, pero ellos son usualmente los mismos críticos que se apresuran a denunciarla, que tienen miedo de las palabras e ideas que ella continúa transmitiendo desde una posición quizá no tan irrelevante como piensan.

La diáspora iraní sigue tan atascada en el occidentalismo, tan determinada a culpar a Occidente del aislamiento de Irán, que muchos de sus principales líderes no pueden tolerar escuchar historias de iraníes que son víctimas del régimen actual. Esto es intolerable, un tipo de política defectuosa que nosotros, los hijos de la diáspora, llevamos con nosotros. Refleja el tipo de políticas del gobierno que no asume responsabilidad personal por lo malo que ha pasado en nuestro país.

Veo una reacción más crítica de mis contemporáneos hacia las víctimas de la República Islámica. Cuando un periodista es arrestado, ellos murmuran que quizá después de todo era un espía americano. Cuando Shirin habla en público acerca del arresto y tortura de su esposo por parte del Estado, los académicos e intelectuales iraníes, sintiéndose seguros en Londres o en Washington, con frecuencia la castigan: ¿por qué ventilar la ropa sucia cuando eso solo refuerza la presión estadounidense sobre Irán?

Por estos medios sutiles, la diáspora absuelve al gobierno iraní de su mal comportamiento porque Occidente es un enemigo más grande y lo que los iraníes se hacen unos a otros apenas parece importar.

Con frecuencia, cuando Shirin habla en público, un iraní en la audiencia se levanta y se pone en su contra por no culpar a Occidente o por defender insuficientemente a un grupo minoritario vulnerable. Ella siempre asiente respetuosamente y pregunta: "Yo solo soy una persona. ¿Qué ha hecho usted frente a este desafío que está esperando que yo resuelva?".

Una vez me contó que sentía que se había perdido de la infancia de sus hijas porque estaba muy ocupada trabajando, algunas veces encerrándose en el baño para escribir. Pero mientras ella siente que se perdió de cosas, veo que sus hijas han sido moldeadas por su trabajo y veo el orgullo que sienten por los logros de su madre. En el transcurso de nuestra larga amistad, tuve dos hijos y también luché para balancear el trabajo y la maternidad.

Hemos sido tan cercanas que le he confiado todo —desde asuntos de la vida doméstica hasta cómo lidiar con la familia política. Busqué su guía para saber cómo manejar una vida complicada con dignidad. Después de que mis hijos nacieron, sentí que no podía hacer nada lo suficientemente bien; mi escritura parecía menos intensa, viajé menos por trabajo y mi familia política parecía abrumada por mi desempeño doméstico.

Recuerdo una vez en que me sentía muy frustrada acerca de

cómo hacer mermelada de membrillo con el grado de rojo apropiado. "Necesito una olla de cobre, ¿es ese mi problema?" Estábamos en un café en South Kensington, y Shirin me miró alarmada y me dijo que me sentara. Me trajo un café, se sentó frente a mí, y me dijo que escuchara con cuidado. "Azadeh, no hagas mermelada. Hay fábricas para eso. Y si tu suegra no tiene una vara más alta para medir que hacer mermelada, cómprala, ponla en tu propio frasco y ofrécela con dulzura".

Al igual que Shirin, yo no puedo regresar a Irán. Pero estar con ella, conocerla, tomar té juntas, es lo mejor que hay, aparte de ir a casa.

AZADEH MOAVENI es una periodista y escritora iraní-americana. Corresponsal en el Medio Oriente para la revista *Time*, Azadeh es la autora de *Lipstick Jihad* y *Honeymoon in Tehran*, y coescribió *Iran Awakening* con Shirin Ebadi.

BERTA CÁCERES

Berta Cáceres fue una activista indígena Lenca en Honduras que se enfrentó a mucha gente, desde una policía corrupta hasta poderosos terratenientes, en su esfuerzo para proteger el medio ambiente y luchar por los derechos de los indígenas. La cofundadora del Consejo Civil de Organizaciones Populares e Indígenas de Honduras, Cáceres, fue asesinada en su casa en marzo de 2016, poco después de haber sido amenazada por su oposición a un proyecto hidroeléctrico.

LA TIERRA LE HABLÓ

Por Laura Zúñiga Cáceres

El 2 de marzo de 2016, ellos vinieron a la casa de mi madre, Berta Cáceres. Hombres armados entraron en la casa de mi madre, Berta Cáceres, y le dispararon en el pecho. El corazón de mi madre, Berta Cáceres, dejó de latir, y en ese mismo instante nació un gran ancestro y defensora de la vida.

El 5 de marzo, la lluvia cayó por primera vez ese año. Ese fue el día que enterramos a mi madre. El dolor era enorme. Caminé entre miles de personas que pidieron fuerza a la tierra para gritar: ¡Berta vive! El cielo lloró con nosotros porque a pesar de ser ahora un ancestro que defiende la vida y camina con aquellos que luchamos por la continuidad de la vida, la violencia y el odio que mi madre tuvo que sufrir es muy doloroso. Se filtra hasta el alma de la tierra. El dolor del mundo se concentró en el cielo cuando empezó a sollozar conmigo. Pero la lluvia no me mojó, porque mi madre, Berta Cáceres, me cubrió y me dijo, de muchas maneras, que aún estaba conmigo.

Abracé a mi madre por última vez en un aeropuerto el día antes de que la mataran. Ella me estaba enviando fuera. Estaba dejando Honduras porque las amenazas en su contra se habían vuelto constantes, y mi madre había decidido que mi hermano y yo viviéramos en otro lugar para estar a salvo. Me abrazó fuertemente y me dijo que si algo le pasaba a ella, no debería tener miedo. Quería creer que nada podría pasarle, porque mi madre era la mujer más invencible que jamás había conocido. Y ahora he confirmado que ella trascendió incluso la muerte.

Muchas de las opresiones de la vida pesaron fuertemente sobre mi madre desde el momento en que vino al mundo, en 1971. Desde el momento en que apenas podía caminar, ya era testigo de la violencia de su padre hacia su madre. Pero a pesar de tener un tremendo dolor, Berta Cáceres podía sonreír y escribir poesía para su hermano, el que salió a pelear en y por otra tierra. Berta, la niña, castigada por haber nacido mujer, se rebelaba cada día contra las limitaciones que se le imponían. Estuvo junto a las mujeres que la rodeaban y las defendió. Berta la niña estaba llena de amor y de arte.

En la escuela, mi madre organizaba a sus compañeros. Berta, la joven, se construyó alas de los sueños que arrancó del aire. Construyó sueños colectivos, sueños esperanzados, junto con la juventud de su era. A menudo dejó Honduras para participar en movimientos sociales en El Salvador y Nicaragua. Cuando cumplió 18 años, Berta, la joven, vivía en la pobreza y ya estaba siendo rastreada y perseguida por las autoridades gubernamentales por sus actividades. Fue alrededor de este tiempo que dio a luz a su primera hija.

En 1990 dio a luz a su segunda hija. Nació prematura. La rodearon con botellas de agua tibia para que sobreviviera, cubriéndola con manteles. Era todo lo que tenían para envolverla. Mi madre la llenó de amor, la rodeo de amor rebelde. En ese momento era maestra en las comunidades Lenca, donde no había escuelas y donde otros maestros se negaban a ir. Sabía que para cambiar el mundo debemos usar todo lo que tengamos a mano, y sus manos eran enormes.

La gran lucha por defender la vida la llevó a ser la guardiana de los ríos. En 1992 yo vivía dentro de mi madre. Vivía dentro de la guardiana de los ríos, el vientre de una rebelde. Oí los ríos corriendo libremente por el cuerpo de mi madre, oí su corazón, oí su rebeldía e indignación emerger de ella. Floté en sus aguas subterráneas y cuando mi tiempo llegó, mi gran ancestro, la guardiana de los ríos, la madre que habitaba, me abrió el camino que me llevaría al mundo. Sosteniéndome en sus brazos, organizaría al pueblo Lenca. Escuchaba su sabiduría ancestral y unió con cuidado y amor una organización con la que lucharía por el resto de su vida.

El Consejo Cívico de Organizaciones Populares e Indígenas de Honduras, COPINH, nació en 1993. Esta organización colocó a los pueblos indígenas, olvidados e invisibles por una sociedad racista, en la escena nacional. El militante y rebelde COPINH lideró el camino en la lucha por defender la vida, enseñó otras maneras de relacionarse los unos con los otros, mostrando que la Tierra es nuestra madre. Las madres deben ser amadas, atendidas y respetadas, no vendidas. Junto con COPINH, enfrentó a los madereros, industrias extractivas que querían pasar por encima de la gente y construir megaproyectos, y a aquellos que atacaban a las mujeres. Exigían que el gobierno respetara los derechos de los pueblos y acompañaron la lucha de los demás con solidaridad y amor.

En 1995 dio a luz a su único hijo varón, a quien alimentó mientras continuaba construyendo COPINH. Junto con mis hermanas y mi hermano, crecimos en las comunidades Lenca, donde nos dieron café mientras escuchábamos las reuniones donde mi madre encendía el debate. Era una líder natural, capaz de incluir la voz de todos, profundizar su análisis de los problemas locales y ayudarles a expresar sus puntos de vista claramente. Nunca subestimó a nadie, y alentó a la gente a su alrededor a superar sus temores. Era capaz de sacar las mejores cualidades de todos con los que trabajaba.

Para 2009, mi madre se había convertido en una líder nacional. En junio de ese año, cuando el ejército derrocó al presidente izquierdista Manuel Zelaya, Berta se opuso públicamente al golpe. Estábamos juntas, sentadas una frente a la otra, solas. Escuchamos atentamente la radio. Se trataba de una estación de El Salvador, ya que las estaciones de radio o televisión hondureñas no estaban operando. Miramos el suelo mientras en la radio leían una lista de las personas que supuestamente habían sido asesinadas. Dijeron el nombre de mi madre. Miré hacia arriba y la vi mirándome. Me sentí segura porque la tenía delante de mí. Su nombre en esa lista significaba que Berta Cáceres era conocida, que era una figura importante para las luchas hondureñas y esto la ponía en riesgo. Berta la mujer, Berta la guardiana, cogió una mochila con los elementos más básicos y se dirigió a la capital para luchar, para organizar, para contribuir con lo que pudiera.

Para 2016, mi madre había sido reconocida internacionalmente por su activismo. Vivía bajo constante amenaza. Realizó una campaña muy especial: la defensa del río Gualcarque. Se estaba planeando la construcción del proyecto hidroeléctrico Agua Zarca, compuesto por presas en cascada, y la comunidad lenca de Río Blanco, para quien el Gualcarque era sagrado, se opuso a la construcción. Las represas no solo obstaculizarían sus principales fuentes de riego y agua potable, sino que también cortarían los suministros de alimentos y medicinas. La construcción del proyecto fue aprobada sin consultar a los Lenca, violando tratados internacionales que rigen los derechos de los pueblos indígenas.

Berta luchó en cuerpo y alma contra ese proyecto. Para ella, la defensa del Gualcarque simbolizaba la protección de todos los ríos del mundo. Y respetar la comunidad de Río Blanco simbolizaba el reconocimiento de todas las decisiones locales. La empresa detrás del proyecto, Desarrollos Energéticos S.A., apoyado por bancos como *Netherlands Development Finance Company* y *Finnish Fond for Industrial Cooperation Ltd.,* intentó bloquear sus esfuerzos. Mi madre fue amenazada, difamada y encarcelada por oponerse al proyecto. Sin embargo, la campaña tuvo éxito de varias maneras. Sinohydro, una empresa estatal china, el mayor promotor de presas del mundo y socio en el proyecto, se retiró del proyecto debido a su campaña, al igual que un brazo del sector privado del Banco Mundial.

Mi madre asistió a una protesta final en defensa de la Gualcarque el 20 de febrero de 2016 en Río Blanco, solo dos semanas antes de su muerte. El ejército, la policía y los empleados de la presa se enfrentaron a los manifestantes; algunos fueron amenazados o detenidos. Los intentos de intimidar a mi madre se intensificaron.

El 2 de marzo de 2016, asesinos entraron en la casa de mi madre, Berta Cáceres, y le dispararon en el pecho. El mundo sintió el impacto de las balas, que le atravesaron el pecho. Me imagino su trayectoria, pero no puedo entender cómo estos pequeños objetos pueden causar tanto daño a la carne, el hueso y el amor. El pecho que era tan inmenso para mí, tan cálido y, desde nuestro abrazo final, infinito. Duele: el salvajismo, el odio y la violencia del sistema que mató a mi madre. Nos golpean con misoginia y racismo porque necesitan que seamos débiles. Quieren el río encarcelado y que su dinero corra libremente.

La reacción a la muerte de mi madre fue indignación internacional, pero el gobierno hondureño aún no ha iniciado una investigación apropiada. Cinco personas fueron arrestadas por su asesinato; dos con enlaces a la empresa que encabeza el proyecto de la presa, dos antiguos militares y un miembro activo del ejército. Pero la investigación sobre su muerte carece de transparencia y las autoridades se han negado a cuestionar a altos funcionarios. La situación de los activistas en Honduras sigue siendo peligrosa.

En el mismo momento en que el corazón de mi madre dejó de latir, nació un ancestro. Su corazón anida en las montañas y su sangre vetea la tierra. Berta Cáceres, guardiana de los ríos, abrió el camino de vida para los demás. Esos disparos no disminuyeron su espíritu, que todavía crece, vigila y nos protege. La fuerza, el amor, la rebelión y la esperanza de nuestro gran ancestro nos acompañan siempre. Mi madre nos dice que prevaleceremos, que la vida prevalecerá. Merecemos la felicidad de ver nuevamente nuestros horizontes verdes.

LAURA ZÚÑIGA CÁCERES es hija de Berta Cáceres. Es una activista juvenil que trabaja con varias organizaciones, entre ellas el Consejo Cívico de Organizaciones Populares e Indígenas de Honduras y Hagamos lo Imposible en Argentina. Actualmente cursa la carrera de obstetricia en la Universidad de Buenos Aires.

SHANNEN KOOSTACHIN

Shannen Koostachin fue una joven activista de la Primera Nación Attawapiskat en el norte de Canadá. A los 12 años de edad, lanzó una campaña de cartas en las redes sociales pidiendo una nueva escuela porque la de su comunidad estaba al lado de un vertedero de residuos tóxicos. La campaña atrajo la atención nacional, e inspiró a miles de niños a través de Canadá a escribir cartas dirigidas al Primer Ministro pidiendo escuelas adecuadas en las comunidades de las Primeras Naciones. Shanned murió en un accidente automovilístico cuando tenía 15 años, pero su campaña continúa por medio de la *Shannen's Dream Foundation.*

NUNCA ME RENDIRÉ

por Cindy Blackstock

Los ancianos de las Primeras Naciones dijeron que Shannen Koostachin era una maestra y que había hecho su trabajo. Aquellos de nosotros que la conocíamos no estábamos preparados para dejarla ir. Solo tenía 15 años.

Shannen nació en la Primera Nación Attawapiskat el 12 de julio de 1994 bajo las estrellas de la Osa mayor —una constelación sagrada para sus ancestros Cree—. El territorio tradicional del pueblo de Shannen atraviesa una franja vasta del norte de Ontario, que se extiende a lo largo de la bahía James en un área remota de Canadá. Solamente en los últimos 50 años Attawapiskat se convirtió en una comunidad con edificios permanentes. Por generaciones, ha sido un campamento temporal para un pueblo que trabajaba la tierra.

La escuela primaria de Attawapiskat fue cerrada en 2000, condenada por una fuga masiva de combustible ocurrida varios años atrás. Sin tener una escuela adecuada, Shannen y los otros niños en la comunidad fueron a la escuela en edificaciones portátiles improvisadas cuyas condiciones eran terribles. A pesar de las temperaturas al aire libre de menos cuarenta grados centígrados, había contaminación por moho negro, infestación de roedores, e interrupciones regulares de la calefacción. Peor aún, la escuela recibía menos fondos para maestros, libros y otros materiales de aprendizaje que las escuelas para los niños no-aborígenes en otras partes de Canadá.

A pesar de su corta edad, Shannen reconocía la injusticia de tener que ir a la escuela en remolques portátiles tóxicos y rotos.

En 2007, cuando tenía 12 años, Shannen y algunos de sus amigos lanzaron una campaña en Facebook y YouTube creando un video para niños no-aborígenes en donde les pedían escribir cartas al gobierno federal apoyando una nueva escuela para Attawapiskat. Los niños se sorprendieron cuando se enteraron de lo que estaba pasando, y reaccionaron. Fue así que el gobierno federal recibió miles de cartas pidiendo una nueva escuela primaria para Attawapiskat y otras comunidades de las Primeras Naciones.

Un año después de que Shannen lanzó su campaña en las redes sociales, el gobierno canadiense envió una carta a Attawapiskat diciendo que no podía costear la construcción de una nueva escuela en la comunidad. Shannen y sus amigos tuvieron una reunión para discutir la carta y decidieron cancelar la celebración de graduación del octavo grado. En cambio, usaron ese dinero para enviar a Shannen y a dos compañeros, Chris Kataquapit y Solomon Rae, a Ottawa para encontrarse con el ministro de Asuntos Indígenas Chuck Strahl.

Shannen nos contó después: "Pienso que el ministro estaba nervioso". Él se adelantó en la discusión con los estudiantes, diciéndoles que no habría nueva escuela para Attawapiskat. "Yo no le creo y nunca desistiré" le dijo Shannen a Strahl. "La escuela es un tiempo para los sueños y cada niño lo merece". La delegación Attawapiskat estaba conmocionada. Shannen no podía hacer nada para detener la discriminación racial. Aunque su conciencia del racismo y discriminación había ido creciendo, todavía le parecía muy extraño que el ministro pudiera negar a los niños sus derechos básicos.

Yo soy igual: después de una década de luchar en los tribunales contra el gobierno canadiense, todavía me parece surrealista que este niegue a los niños aborígenes derechos básicos en Canadá.

En algún momento durante su proceso para construir una nueva escuela, Shannen comprendió que la campaña significaba algo de mayor envergadura que solamente su escuela. Más de 163.000 niños de las Primeras Naciones en Canadá estaban recibiendo menos fondos para educación que los niños no-aborígenes y muchos estaban yendo a escuelas en condiciones deplorables. La subfinanciación crónica estaba causando cada vez más dificultades, siendo un factor real en los pobres resultados educativos de las Primeras Naciones. A pesar del revés con el ministro Strahl, Shannen no desistió. Ella seguía hablando e inspirando a la gente de todas las edades a tomar medidas para que los niños de esas comunidades pudieran tener lo que ella llamó "escuelas seguras y cómodas" y una educación apropiada. Entendió que no había un momento ni una niñez que desperdiciar. Miles de personas, incluyéndome a mí, nos vimos obligados a actuar.

Para finales de 2008, Shannen lideraba la campaña de niños más grande en el país, y había sido nominada al *International Children's Peace Prize* organizada por el *KidsRights Foundation*. Como parte del proceso de nominación, Shannen me escribió una carta contestando algunas de las preguntas en la aplicación del premio de paz. Recibí esa carta el 28 de julio del 2008 cuando ella acababa de cumplir 14 años.

Aquí lo que escribió:

1. Por supuesto, yo apoyaría a otros a pesar de que no fueran nativos. Yo ayudaría y haría lo que pudiera para apoyar. Por esto hicimos el círculo. Uno es rojo, otro amarillo, otro es blanco y el otro es negro. ¡Nosotros somos lo mismo. Nosotros mantenemos el circulo fuerte!

2. Para que él (Ministro Strahl) sepa que no esperaremos otros ocho años. Él sabe que estamos enfermos y cansados de ir y venir en el frio invierno, el viento frio, la lluvia helada, el sol ardiente. Él sabe eso, solo que no entiende. Si él entendiera, podría habernos dado una escuela.

3. Les diría (a otros niños) que no tuvieran miedo, que ignoraran a la gente que los está desanimando. ¡Qué se levanten y le digan a la gente lo que quieren, lo que necesitan!

4. Les diría que pensaran en el futuro y que siguieran sus sueños. Les diría que **nunca** *perdieran la esperanza. Levantarse; recoger los libros, e* **ir a la escuela,** *pero no en instalaciones portátiles.*

Shannen agregó una carita feliz después de las últimas palabras. Así era ella, una niña sabia y afectuosa.

Amaba su cultura y su querida comunidad, pero más tarde ese mismo año tomó la más difícil decisión de dejar Attawapiskat para ir al "sur" para tener una buena educación. Sabía que si se quedaba en su comunidad, las deficiencias en el financiamiento de la educación significaban que no recibiría lo que necesitaba para lograr sus sueños de convertirse en una abogada de derechos humanos. Tomó la desgarradora decisión de dejar a su familia y comunidad para ir a la escuela fuera de su reserva, en New Liskeard, cientos de kilómetros lejos de su familia, en un pueblo donde el lenguaje Cree no se hablaba. Las lágrimas rodaban por sus mejillas. Cuando le preguntaron qué pasaba, dijo: "Desearía tener mi vida para vivir otra vez y así poder haber ido a una escuela tan bonita como esta".

En mayo 31 del 2010, Shanen se unió a Rose Thornton, una amiga de la familia, en un viaje de fin de año al sur de Ontario para celebrar el exitoso año escolar. Había trabajado duro en la escuela y deseaba regresar a Attawapiskat en verano para estar con su amada familia y amigos y, caminar en la tierra de sus ancestros. Le dijo a su hermana mayor Serena "Te veo pronto", esas serían algunas de sus últimas palabras. Shannen y Rose murieron en un accidente automovilístico regresando a casa.

Dentro de las 24 horas siguientes a su fallecimiento, algunos de los miles de niños que ella había inspirado, crearon una página de Facebook llamada *Shannen's Dream* para honrar a su amiga y para comprometerse a continuar su trabajo para poder tener escuelas adecuadas para todos los estudiantes de las Primeras Naciones. En los meses y años que siguieron, los niños se reunieron en la colina del parlamento para leer cartas al primer ministro pidiendo que terminaran los servicios de salud, educación y bienestar infantil de segunda clase para los niños de las Primeras Naciones. El padre de Shannen, Andrew Koostachin, ha dado el crédito a los niños por ayudar a convencer al gobierno a finalmente construir una nueva escuela en Attawapiskat, y conseguir que la Cámara de Comunes aprobara una moción unánime en apoyo del sueño de Shannen. Los niños no han terminado. La educación en las Primeras Naciones sigue siendo deficiente, y ellos siguen escribiendo cartas que exigen más del gobierno canadiense.

El día que la moción del *Shannen's Dream* pasó en el Parlamento, acompañé a la familia de Shannen —su padre Andrew, su madre Jenny Nakogee y su hermana Serena— a una visita con algunos de los niños que escribieron cartas apoyando *Shannen's Dream*. En nombre de su familia, Andrew dijo a los niños: "Los verdaderos líderes no crean seguidores, crean otros líderes".

He visto la magia del espíritu de Shannen en muchos niños que la conocieron solo a través de la inspiración. Un niño noaborigen que conozco quien siempre lucía desanimado por su falta de confianza en él, finalmente se sintió seguro de sí mismo cuando fue enviado a acompañar a algunos dignatarios durante el comunicado de un reporte de *Shannen's Dream* en su escuela. "Alguien me necesita" dijo. Otro niño tiró su carta a la fundación pensando que nadie la leería antes de reunir el coraje para recuperarla y ponerla en el correo. Esa carta ha inspirado a cerca de 50.000 personas en cinco países. Daxton, un estudiante que descubrió que amaba hablar en público mientras leía su carta en voz alta delante de una audiencia, describiendo el impacto de Shannen en él: "Lo mejor de *Shannen's Dream* es que para hacer la diferencia no se necesita ser un buen atleta o el mejor en la clase. Todos podemos ayudar y cada uno cuenta".

El liderazgo de Shannen, tanto en vida como en espíritu, ha sido una guía de luz en mi trabajo para lograr la igualdad de los niños y de las familias de las Primeras Naciones. El sueño de Shannen de "escuelas seguras y confortables" estaba clavado en su convicción que cada niño debe estar en capacidad de crecer y "ser alguien importante". Ella no aceptó las inequidades racialmente discriminatorias en la financiación de la educación de las Primeras Naciones y llamó al resto de Canadá a no aceptarlo tampoco.

Muchos canadienses no están al corriente de las inequidades en los servicios infantiles de las Primeras Naciones, y los juzgan como si les dieran más que a los otros niños cuando en realidad reciben menos. A nivel internacional mucha gente encuentra difícil de creer que en un país como Canadá se discrimine racialmente a los niños, de tal manera que mucha gente ignora lo que está pasando. Trágicamente, cuando el mundo de los niños de las Primeras Naciones codifica sus dificultades como déficits personales, entonces los niños terminan creyendo que de alguna manera ellos merecen menos.

Los niños saben que este tratamiento no es correcto. Shannen también lo sabía.

Hay esperanza de que la discriminación racial en la prestación de los servicios públicos pueda llegar a acabarse en Canadá. En enero de 2016, el Tribunal Canadiense de Derechos Humanos tomó una decisión histórica confirmando que el gobierno ha discriminado racialmente a 163.000 niños de las Primeras Naciones y a sus familias, prestando servicios defectuosos e inequitativos de bienestar infantil. Yo presenté la queja en nombre de los niños y de *Family Caring Society of Canada* en 2007, al lado de Phil Fontaine, el jefe de la *Assembly of First Nations National.*

El gobierno federal trató en numerosas ocasiones de desestimar el caso por razones técnicas, pero no lo logró. Fue una victoria enorme para los niños de las Primeras Naciones y los no aborígenes que estuvieron a su lado, pero la lucha está lejos de haber terminado. Ahora debemos presionar al gobierno para que respete este fallo y finalmente preste servicios iguales a los niños.

Con frecuencia la gente me pregunta qué fue lo que más me sorprendió durante las audiencias del Tribunal Canadiense de Derechos Humanos. Mi respuesta es siempre la misma: el hecho de que tuvimos que llevar al gobierno federal a la Corte para que trataran a pequeños niños con igualdad. Todavía estoy sorprendida por eso, y consternada por los argumentos federales sugiriendo que el gobierno no puede *permitirse* tratar justamente a los niños de las Primeras Naciones. Como la vida y obra de Shannen lo han demostrado, simplemente no hay excusa para darles a estos niños menos servicios públicos que a los otros. Canadá es uno de los países más ricos del mundo pero se mantendrá en bancarrota moral hasta que corrija las profundas injusticias que han experimentado estos niños.

Los ancestros están en lo correcto. Shannen es una maestra permanente y entrañable que nos llama a encender nuestras propias velas de esperanza cuando nos levantamos para ser algo mejor de lo que pensamos que podríamos ser, en nombre de todos los que nos rodean.

Shannen creció bajo la Osa mayor, una constelación sagrada donde cada estrella simboliza una de las enseñanzas sagradas del abuelo, y con las que ella vivió: amor, respeto, honestidad, sabiduría, humildad, verdad y valentía. Cuando la extraño, visito a niños que fueron inspirados por ella, y veo la luz de las estrellas de Shanen en cada uno de ellos.

CINDY BLACKSTOCK es una activista de las Primeras Naciones y la directora ejecutiva del *First Nations Child and Family Caring Society of Canada.* En 2007, puso una queja ante el Tribunal Canadiense de Derechos Humanos reclamando que el gobierno canadiense estaba discriminando racialmente a 163.000 niños de las Primeras Naciones y a sus familias, pagando menos en los servicios de bienestar familiar en las reservas. Finalmente, en 2016, el Tribunal demostró la queja de discriminación y ordenó al gobierno corregirlo.

TAWAKKOL KARMAN

En 2011, a la edad de 32 años, Tawakkol Karman se convirtió en la persona más joven en ganar el premio Nobel de la Paz. En su nativa Yemen, por muchos años Tawakkol estaba en primer plano de la lucha por los derechos humanos y de la participación de las mujeres en la construcción de la paz, organizando protestas no violentas que aumentaron de tamaño y fueron parte de los movimientos de la primavera árabe en 2011. Ella es miembro del consejo de *Nobel Women's Initiative*.

LIDERANDO UNA REVOLUCIÓN
DESDE LAS CALLES

Por Hooria Mashhour

En 2011 cuando Tawakkol Karman ganó el Premio Nobel de la Paz por su trabajo promoviendo la construcción de la paz y los derechos de las mujeres en Yemen, el mundo la aplaudió como la primera mujer árabe, y a los 32 años, la persona más joven en haber logrado tal honor. Los que hemos trabajado con ella, ya la conocíamos como una líder con un poder más allá de su edad. Para nuestro movimiento pro-democracia, ella fue "la madre de la revolución".

Tawajjol creció en la ciudad de Taiz aunque nació en la capital Saná en una familia educada de clase media. Su padre fue un político prominente conocido por su integridad y por su apoyo a los derechos de las mujeres. "Él fue un pensador adelantado a su tiempo que decía que su trabajo representaba el verdadero Islam que clama por la liberación y rechaza la injusticia." diría ella después. "Mi padre nos hablaba a mis hermanos y a mí como adultos y escuchaba nuestras opiniones diversas que lo hacían feliz". Él recomendaba a sus hijas dejar el rol tradicional de las mujeres y participar en la vida pública. Mi madre fomentaba la educación, compasión, tolerancia y altruismo; ella me habló de ser valiente. Cuando era joven, le dije a mi padre, en broma, que algún día yo sería presidente de Yemen. Él respondió

"¿Presidente de Yemen únicamente? Tú te subestimas".

Energética, ambiciosa y emprendedora, obtuvo un título en ciencias políticas, se hizo periodista, se casó con Mohammed al-Nahmi, también defensor de los derechos de las mujeres, y fue madre de tres cuando tenía 25. "Desde el principio, mi marido y yo acordamos que nuestro matrimonio no debería ser un obstáculo en nuestro activismo", dice ahora. "Siempre encontré tiempo para todo. Quizá me cansaba pero nunca me aburría".

La pasión de Tawakkol era el activismo popular. Comenzó joven y se volvió una fuerza política singular. En un tiempo en que Yemen luchaba bajo un régimen autocrático y corrupto, y muchos yemenís tenían miedo de hablar, ella rompió el silencio.

Bajo el mandato del entonces presidente Ali Abdullah Saleh, quien llegó al poder a finales de los setenta, Yemen era conocido por graves violaciones a los derechos humanos, censura de prensa, corrupción y pobreza.

La ayuda monetaria internacional y las regalías por los productos naturales como el petróleo iban a los ricos y poderosos, mientras la gente del común sufría. Poco desarrollados, niños malnutridos morían de enfermedades evitables. No había servicios médicos básicos, y la gente joven, privada de educación, capacitación y trabajo, enfrentaba un futuro sin esperanza. Periodistas que criticaban al gobierno se arriesgaban a ser detenidos e inclusive a sufrir violencia física. Incluso, miembros de los partidos de oposición, que temían que Saleh hiciera todo lo posible para permanecer en el poder, en su mayoría guardaban silencio, buscando solo una reforma mínima, limitada.

En 2005, Tawakkol, quien fue la primera periodista en hacer reportes vía Internet, fundó la organización *Women Journalist Without Chains*. Su enfoque original era abogar por la libertad de prensa, pero en dos años la organización y Tawakkol directamente pidieron más. En un artículo de prensa ampliamente difundido en 2007, ella alegaba que el gobierno nunca haría las reformas voluntariamente. Yemen necesitaba un alzamiento popular con un único claro objetivo, "la remoción del presente régimen" y su reemplazo por un gobierno democrático. La manera de hacer el cambio, dijo ella, era por medio de sentadas pacíficas, demostraciones y desobediencia civil. Los héroes de Tawakkol, cuyos retratos colgaban en las paredes de su oficina, eran Martin Luther King, Mahatma Gandhi y Nelson Mandela. Desde el principio, enfatizó que un cambio exitoso solo proviene de una lucha no-violenta.

Publicar el artículo fue un acto de valor sorprendente, no solamente por confrontar el poder, sino también por hablar en un país donde las mujeres no teníamos visibilidad y muy pocos derechos. La mitad de las mujeres eran analfabetas, 23% sufrían mutilación genital y una de cinco estaba casada a los 15. En 2008, Tawakkol dio otro paso radical. Ella era una musulmana devota que se había vestido siempre de negro cubriéndose la cara con un *niqab*. Pero en 2008 justo cuando se estaba levantando para hablar en una conferencia que iba a ser transmitida por televisión nacional, removió su velo y lo reemplazó con un *hijab* púrpura pálido. Después diría que usar el velo era una tradición, no una costumbre islámica y "no adecuada para una mujer que quiere ser activista y del dominio público. La gente necesita verte".

En aquel tiempo, yo era diputada en el *Women's National Committee*, un pequeño cuerpo del gobierno afiliado al gabinete con el mandato de defender los derechos de las mujeres, y cuando trabajé con Tawakkol, estaba impresionada por su compromiso infatigable. *Women Journalists Without Chains* monitoreaba violaciones a los derechos humanos, y los opositores de Saleh usaban la organización para denunciar la corrupción. Takakkol también se envolvió profundamente en abogar por un grupo de aldeanos del sur del país que habían sido expulsados de sus casas por no pagar "protección" a un jefe tribal con lazos con el régimen de Saleh. Ella organizó y dirigió docenas de sentadas y protestas en Saná pidiendo que los desplazados pudieran regresar a sus casas y que los responsables fueran castigados. Incluso proveyó a los aldeanos con tiendas, comidas, ropa y medicamentos. A pesar de que oficiales del gobierno los hicieron retroceder, ella logró movilizar a tres comités parlamentarios y judiciales para investigar las condiciones de pobreza en que vivían. Tenía una capacidad increíble de hacer que las cosas pasaran. Pronto logró que una coalición de periodistas, grupos de la sociedad civil y partidos políticos organizara "las protestas de los martes", sentándose en frente de la oficina del gabinete presidencial, pidiendo el cambio de régimen. Yo renuncié a mi trabajo en el gobierno y me uní a ellos.

En 2010 el presidente Salah trató de cambiar la constitución de Yemen para poder perpetuarse en el poder. La gente se enfureció aún más. Inmensas olas de protesta se producían en el mundo árabe, y pronto derrocaron al presidente Zine el Abidine Ben Ali en Túnez, después a Hosni Mubarak en Egipto. Parecía que todo era posible. Usando Facebook, Tawakkol movilizó a los jóvenes para que asistieran a las protestas, y en frente de la Universidad de Saná dijo a las multitudes que la ovacionaban "que los días de Saleh estaban contados…".

"¡Hermanas!" añadió, "¡Ahora es el tiempo para que las mujeres se levanten y sean activas sin pedir permiso!".

Fue arrestada por su audacia y fue mantenida encadenada por tres días. La indignación pública explotó. La protesta que sería llamada *Change Square* aumentó hasta que cientos de miles de yemenís de todas las clases y condiciones salieron a las calles —miembros de las tribus, habitantes de la ciudad, jóvenes, incluso algunos miembros de las fuerzas armadas y ¡mujeres! Un periodista al verlas describió: "miles de mujeres con velos negros…marchando hombro a hombro". Tan pronto como Tawakkol fue liberada, estableció su propia carpa en *Change Square* y se convirtió en el ícono de la revolución.

Los riesgos eran enormes. Tawakkol fue arrestada de nuevo y los partidarios del gobierno atacaron a los manifestantes con palos y cuchillos. Más tarde, francotiradores del gobierno dispararon desde los techos matando e hiriendo a cientos. Para proteger a su familia, Tawakkol envió a sus hijos lejos para que fueran cuidados por sus abuelos. Después confesó estar "muy preocupada por mis hijos pero el gobierno de Saleh iba a destruir todo, incluso la esperanza. Me di cuenta que ni ellos ni ningún otro niño tendrían un buen futuro si esto continuaba. Como otros yemeníes, no tuve otra opción que seguir la vía de la revolución".

Durante los largos meses de protesta, Tawakkol permaneció en las calles, valiente, incansable y resistente. Su visión firme, clara, la ayudó a inspirar a los jóvenes que soñaban con un Estado fundado en la ley y el orden, y ella organizó un consejo juvenil que sigue siendo una fuerza importante en el panorama político. Cualquiera que caminara por *Change Square* habría escuchado su voz a través de los altavoces dirigiéndose a la multitud "¡Únete a nosotros! ¡Un Yemen nuevo nos espera!".

Tawakkol estaba en su carpa azul en *Change Square* cuando se supo del Nobel. Lo aceptó como "un honor para mí personalmente, para mi país Yemen, para las mujeres árabes, para todas las mujeres del mundo y toda la gente que aspira a la libertad y a la dignidad". El dinero del premio, dijo, iría a un fondo para los heridos en las protestas y los sobrevivientes de aquellos que murieron.

En seis meses, el presidente Saleh cayó y comenzamos un esfuerzo nacional hacia la reconciliación y una transición pacífica a la democracia. Me convertí en el primer ministro de Derechos Humanos de nuestra nación, trabajando para promocionar la igualdad de género, abolir la corrupción, y acabar con el matrimonio de niños y con la mutilación genital femenina. Nuestra nueva Constitución establecía, entre otras cosas, que las mujeres deberían tener el 30% de los cargos públicos. Tawakkol jugó un papel importante como miembro del Comité de Reconciliación, y también viajó a La Haya para pedir a la Corte Penal Internacional investigar al expresidente por crímenes de guerra. Laureada con el Nobel se convirtió en una voz global para Yemen y para la democracia.

Recuerdo la esperanza que sentíamos, y cuando pienso en los

discursos inspiradores de Tawakkol —"Juntos, juntos podemos crear nuestro nuevo mundo"— hubiera deseado que ellos hubieran marcado el fin triunfante de mi historia. Sin embargo, algunos años después de la ceremonia del Nobel, rebeldes respaldados por soldados leales al expresidente Saleh, atacaron y ocuparon Saná derrumbando a nuestro gobierno elegido democráticamente. La lucha comenzó entre varias facciones y continúa hasta este día, una catástrofe para la gente de Yemen. Más de 6,000 personas han sido asesinadas, de las cuales casi 1,000 son niños; casi no hay comida ni gasolina, y hay un creciente desabastecimiento de agua. El avance de las mujeres se estancó. La situación es aún peor que en 2011 cuando nuestro país se tomó las calles.

Debido a mi labor defendiendo mujeres y derechos humanos, he recibido muchas amenazas de muerte. En 2014 después de que hombres armados llegaron a mi oficina, huí del país, pensando que nunca dejaría de luchar por la democracia y la dignidad humana.

Rebeldes atacaron la casa de Tawakkol y ella también está en el exilio. Pero esta mujer que rompió el silencio en nuestro país, continúa hablando contra la dictadura, el extremismo y la violencia, tanto en Yemen como en el mundo. Ella será conocida por siempre como la más abierta y directa defensora en la historia de Yemen. En un país conservador donde a las mujeres se les permite poca presencia pública, fue una joven mujer que nos llevó a la revolución —y a una revolución pacífica. Sé que ella trabajará hasta que un Yemen próspero y pacifico prevalezca. Como una vez lo dijo, trabajar por la paz no significa solamente tratar de parar la guerra, "sino también detener la opresión y la injusticia".

HOORIA MASHHOUR es una activista de los derechos de las mujeres quien fue la primera ministra de los Derechos Humanos en Yemen después de la revolución de 2011, una posición que fue forzada a dejar después que la milicia Houtchi derrocara al gobierno.

LATIFA IBN ZIATEN

Latifa Ibn Ziaten es una activista francesa nacida en Marruecos que perdió a su hijo en un ataque extremista terrorista en 2012. Después de la muerte de su hijo, dedicó su vida a combatir la radicalización a través de la tolerancia y el entendimiento interreligioso. Ella viaja a través de Francia dando charlas sobre el tema, y es la fundadora de *Imad Association for Youth and Peace*, que busca ayudar a la juventud en comunidades problemáticas. En 2016, ganó el *International Women of Courage Award.*

EL PERDÓN DE UNA MADRE

Por Nahlah Ayed

Mientras habla y contesta preguntas, Latifa Ibn Ziaten ha estado en el escenario de la escuela por más de tres horas. Aún al frente, está ahora rodeada de niños —la mayoría adolescentes— que lloran abiertamente. Los jóvenes la abrazan de la manera en que los niños más pequeños abrazan a sus madres; escondiendo sus caras mojadas en su cuello, con los brazos rodeando su cintura. De alguna forma, a pesar de sus sollozos Ibn Ziaten se controla.

Siempre, en su mirada, hay una preocupación maternal y una tristeza sin fin. Pero aquí, en el escenario, sus labios ligeramente fruncidos registran el desconcierto. Ha provocado lágrimas con sus discursos en el pasado, pero estos niños llorosos la han afectado. A pesar de todo cuando puede liberarse para levantar sus barbillas y mirar directamente en sus ojos para consolarlos, es sólida como una montaña.

Uno ve en sus ojos la forma en que te escanea, siempre alerta por signos de angustia. Ese rol la ha traído a hablar en esta escuela —y es lo que hace todas sus charlas tan transformadoras.

El hecho de que Ibn Ziaten sea madre experimentada de cinco hijos es central en su historia. La tragedia que solo cuatro de sus hijos permanecen vivos es crucial. Imad, a los 30 años, era un experimentado paracaidista en el ejército francés, y el confidente de su madre. En marzo 11 del 2012 un joven turbado con un pasado criminal, quien reivindicaba tener vínculos con grupos extremistas, le disparó a quema ropa y lo mató. Mohammed Merah mató a otros seis: un rabino y tres niños en una escuela judía, y a dos soldados musulmanes franceses desarmados, en un circuito salvaje que impactó a Francia y anunció cosas horribles por venir.

Imad fue su primera víctima.

Esta es la historia que Ibn Ziaten vuelve a contar en cada discurso público sin guion. La historia de cómo sucedió. De cuánto gritó y lloró ese día. Es también la historia de cómo fue a visitar la escena del asesinato de Imad para buscar por algún mensaje escondido de su hijo, para en cambio solo encontrar rastros de su sangre. Habla en el tono autorizado y visceral de los deudos recientes. Y cuando ya no puede retenerlas, las lágrimas corren fácilmente. Pero su voz no vacila. La lección no se detiene.

Ibn Ziaten continúa relatando cómo subsecuentemente se enteró de la identidad del asesino de su hijo. Mohamed Merah, un joven rebelde de 23 años, dijo en los videos ser miembro de Al-Qaeda. Ella cuenta su decisión de visitar el vecindario y preguntar a un grupo de niños, donde vivía él.

"Señora, ¿no ha escuchado? Él ha sido martirizado. Es un héroe", le contaron los niños.

"Miré a esos jóvenes; es como si hubieran asesinado a Imad por segunda vez... Dije, '¿ven la madre que está en frente de ustedes?' Ella es la madre del primer soldado asesinado por Mohamed". La revelación de Ibn Ziaten hizo que cambiaran la narrativa de su "héroe". Los jóvenes estaban aparentemente sorprendidos y se disculparon. Se podría entender si ella los odiaba por su admiración por Merah o si odiaba a la familia de Merah. Pero no.

"Él no tenía oportunidad. Él [era] un joven delincuente, un joven abandonado, un joven que no había sido educado, que no tenía el amor de una familia, no tenía nada", dijo. En ese momento en la calle comprendió que Merah y otros como él la necesitaban. Ella, de entre todos, —una atormentada madre en duelo que había perdido a su hijo por la intolerancia— se convertiría en una predicadora incansable por la tolerancia.

La primera vez que escuché a Ibn Ziaten fue en Toulousse, en donde su hijo fue asesinado. Para ella es una ciudad difícil de visitar. Pero incluso allí, hizo la misma promesa "Yo sigo de pie y extiendo mi mano a los jóvenes que son la causa de mi sufrimiento hoy. Tengo que ayudarlos. Tengo que extender mi mano a todos aquellos que pidan mi ayuda". Su misión —autoimpuesta— es contrarrestar los mensajes extremistas y alumbrar el camino de jóvenes perdidos que nacieron en Francia, pero que no sienten que pertenecen.

Ibn Ziaten nació en Marruecos y se fue a Francia a los 17 años, donde aprendió a adaptarse y abrazar la vida en una tierra extraña. En ese sentido, su historia me recuerda a la de mi madre. Ella llegó a Winnipeg, Manitoba desde un campo de refugiados palestinos en Jordania, vía Alemania, cuando tenía apenas 20. Con frecuencia pienso en el valor que debió haber tenido. Y todo el arduo trabajo para aprender un idioma, acostumbrarse a una nueva forma de vida, comenzar a trabajar en una fábrica… ¿cómo habrá sido la primera vez que mi madre vio nieve? Pero mientras era una forastera, como Ibn Ziaten, mi madre trabajó rápidamente para adaptarse, y a través de su vida ha inculcado a sus hijos la importancia de la aceptación y de tener una mente amplia. Mi madre es una de las personas más orgullosas de ser canadiense que conozco.

Ambas inmigrantes, mi madre y Ibn Ziaten han pasado ahora más tiempo en sus países de adopción que en ningún otro lugar. Como mi madre, Ibn Ziaten estaba cómoda con la doble nacionalidad y orgullosa de su lugar en su sociedad adoptiva. Ella extrae de esa experiencia cuando habla, y de las ideas que se han formado a lo largo del camino, para contestar difíciles preguntas culturales que surgen en Francia y en otros países. "Marruecos es mi madre y Francia es mi padre", dice una canción de cuna elegante que enseñó a sus propios hijos para ayudarlos a navegar en las dificultades de la vida en dos culturas.

De alguna manera, generaciones de ciudadanos franceses de origen norafricano nacidos en Francia lo han tenido más difícil que sus padres. Aquellos viviendo en los inconvenientes *banlieues* o suburbios de Francia han llevado la peor parte: con la falta de oportunidades, el racismo arraigado y la dificultad de encontrar un sentido de pertenencia, agrava su situación. Pero Ibn Ziaten les ha dicho a sus hijos —y a cientos otros— que ninguna desventaja es excusa para rendirse.

En sus apariciones públicas, no amonesta o reprende. En un lenguaje simple, paciente, predica un camino hacia la pertenencia al país sin perder la identidad.

A principios del 2015, tuve la oportunidad de observar el discurso de Ibn Ziaten en varios salones llenos de niños y adultos. Como siempre, muchos lloraron. Su suave voz se extendía fila tras fila de niños de escuela sentados en un gimnasio donde comencé a entender su poder. Fue solo semanas después del tiroteo en París donde murieron diez personas en las oficinas de *Charlie Hebdo,* una revista satírica que ocasionalmente presenta caricaturas del profeta musulmán. Cuando ocurrió el tiroteo Ibn Ziaten debía hablar fuera del país, pero cambió sus planes y se quedó marchando con miles que tomaron las calles para mostrar unidad y apoyar la libertad de expresión.

En aquel entonces, hubo disturbios y tensiones entre musulmanes y no musulmanes residentes en *Romans Sur Isere*, un pueblo del sur de Francia. En una escuela del lugar, niños franceses musulmanes de varias procedencias rehusaron guardar un minuto de silencio por las vidas perdidas en *Charlie Hebdo*, creyendo que era hipócrita cuando no se muestra el mismo respeto por las víctimas musulmanas de guerras en el extranjero. En ese tenso escenario, primero vi a Ibn Ziaten hablar con niños. Comenzó su discurso explicando el significado de un minuto de silencio: es un simple gesto de respeto por los muertos, dijo. Enseguida invitó a todos a guardar uno por los ciudadanos franceses que murieron, y todos consintieron: inclusive los niños que habían rehusado unas semanas atrás. Lo que les faltaba, ella dijo luego, era una explicación.

Ibn Ziaten pasó otra hora conversando pacientemente con profesores, dándoles consejo también. Estaban sorprendidos de ver a estos niños difíciles interactuar fácilmente y llorar con ella —era una conexión que nunca habían experimentado. Más tarde, el mismo día, en un discurso dirigido a adultos de la comunidad, Ibn Ziaten contó su historia una vez más. Hizo varias preguntas acerca de los niños llorando a su lado ese día. La afectaron profundamente. "Lo que vi realmente me llegó", dijo. "Y me iré con el corazón pesado. Espero que pueda encontrar una explicación para esto. Porque ver gente joven llorando así en una escuela —No lo entiendo. ¿Soy yo la que los tocó? ¿Les está haciendo falta algo a estos niños? ¿Les falta amor? ¿Están traumatizados por lo que pasó? No lo sé. Pero tengo muchísimas preguntas".

Ella habló de *Charlie Hebdo* y su creencia en el derecho del personal de la revista de publicar lo que quisieran, y su derecho de no comprarla. Habló de la importancia de la guía de los padres; de las dificultades de crecer como ciudadano francés de origen del norte de África, y de la realidad de tener que trabajar más duro —tocando todas las puertas antes de darse por vencidos. Una vez más, movió a muchos a las lágrimas. Se pusieron de pie para expresar su admiración por su valor y su candor.

Admiro sus palabras claras, sus mensajes honestos, su capacidad de amar y dar a pesar de todo lo que le ha sido arrebatado. Ninguna cantidad de repetición parece aliviar el dolor de volver a contar, y nada puede calmar su sentimiento de pérdida. Pero ella siempre espera que los niños y adultos que escuchan su historia tomen algo que pueda cambiar sus vidas.

Apenas cuarenta días después de la muerte de Imad, Ibn Ziaten comenzó una organización para la juventud y la construcción de la paz que lleva el nombre de él. Ella trabaja para mantener alejados a los niños de todo tipo de problemas, pero especialmente de vínculos con grupos extremistas. Ha ayudado a salvar vidas —como la de una joven belga a quien persuadió de no viajar a Siria para unirse a un movimiento extremista. Fue una pequeña victoria en la que sabe es una batalla continua, difícil, en una guerra en la que a la otra parte no puede permitírsele ganar.

"Yo solo soy una madre con una familia y combato esta batalla con dignidad y respeto", dice. Cuando enterró a Imad, hizo un voto. "Puse mi mano en su tumba y dije 'tú estás siempre ahí para mí, tú no te has ido'", me dijo. "Lucharé hasta el fin de mis días para ayudar a esos niños, así no habrás muerto por nada". Su arma más potente es el perdón. Ella lo esgrime por su hijo.

NAHLAH AYED es una premiada corresponsal extranjera para el *Canadian Broadcasting Corporation (CBC)* en Londres. Ha reportado de manera extensa en Europa y el Medio Oriente, cubriendo varios conflictos mayores y las protestas de la primavera árabe. Nacida y criada en Canadá, tiene ascendencia palestina, y cuando era niña estuvo un tiempo en un campo de refugiados palestinos en Jordania. Es la autora de *A Thousand Farewells: A Reporters' Journey from Refugee Camp to the Arab Spring*.

JUNE JORDAN

Poeta prolífica, activista y profesora, June Jordan, hija de inmigrantes jamaiquinos nació en Harlem en 1936 y creció en el área de Bedford-Stuyvesant de Brooklyn. Fue una voz apasionada e influyente para la liberación, y estuvo orgullosamente dedicada a los derechos civiles, a los derechos de las mujeres y a la liberación sexual. En su clásico ensayo personal *Reporte desde las Bahamas* June Jordan abrió nuevos caminos discutiendo tanto las posibilidades como las dificultades de la auto identificación sobre las bases de raza, clase e identidad de género. El ensayo se convirtió en una contribución importante para la mujer y los estudios de género, sociología y antropología. June murió en 2002.

TRATANDO DE ENCONTRAR MI CAMINO A CASA

Por Aja Monet

Es enero y estoy leyendo a Jordan. Nieva en Belén y estoy acurrucada bajo las cobijas en una cama sencilla en el tercer piso del Hotel *Holy Family*. Comparto el cuarto con una hermana llamada Tara Thompson de St. Louis, Missouri. Somos parte de una delegación en Palestina con líderes del movimiento negro, estudiantes, organizadores de la comunidad y artistas. En este cuarto nos bañamos y descansamos para estar listas para el día siguiente. Nos pasamos la mano con crema de karité y la untamos a lo largo de nuestros muslos y en los espirales de nuestros rizos. Cada mañana, salimos de prisa y nos limpiamos el sueño de nuestros ojos. No estamos aquí para descansar. Somos testigos de las paredes, los puestos de control, el desplazamiento y la vigilancia estatal militarizada. Lloramos con las historias de nuestros camaradas en Palestina y meditamos acerca de las similitudes en Estados Unidos. Nuestro país está matando niños y niñas negros, mujeres y niños, y nosotros estamos en Palestina ocupada buscando por un indicio de hogar. ¿Es esto solidaridad?

Nací mujer negra
Y ahora
Me convertí en palestina
En contra de la risa implacable del mal
Hay menos y menos sala
Y ¿dónde están mis seres queridos?
Es tiempo de regresar a casa

Las palabras de June Jordan son una suerte de canal. Yo llevo sus poemas por las calles del este de Jerusalén, un libro a mi lado, con vista a Hebrón. ¿Qué hay del poder de las palabras? Vivimos con la carga de buscar un sentido. Las mujeres negras existen en las márgenes del lenguaje. Y sin embargo, June Jordan utilizó el lenguaje de una manera que hizo trascender las palabras. Escribió con precisión y nos llevó a los bordes del lenguaje, llegando más allá de las fronteras. Y *¿dónde están mis seres queridos?* Miro a mi alrededor, una delegación de camaradas. Los mundos interiores de las mujeres son los únicos hogares que hemos conocido. ¿Quiénes son nuestros seres queridos? Un poema viene a ser la arteria entre nosotras. June Jordan escribió acerca de nuestra solidaridad, no solamente en lo que concierne a nuestra lucha compartida, sino también a nuestra alegría compartida. El mundo interior es la última frontera de la colonización. Los poemas nos congregan para alcanzar nuestra amada comunidad. *¿Dónde nos sentimos libres?*

En el campo de refugiados Dheisheh nos congregamos para conocer a representantes de Campus en Camps y es como si viajáramos a otra dimensión. La voz de Tara despierta el cuarto, ella dice, *Esto es libertad. Aquí mismo, por la primera vez en mi vida me siento libre.* Fue un destello de un espíritu, una presencia, una sensación de ser sentido. Era un entendimiento sin palabras. Tara es la santa patrona de la alegría negra. Ella puede cambiar la energía de un cuarto solamente con su sonrisa. Nosotras contamos chistes y nos tiramos en el piso con dolor en el estómago. Una bocanada de aire es un momento para continuar sentadas en nuestros cuerpos. Algunos dicen, nosotros reímos por no llorar. Nos sostenemos entre nosotros en nuestras contradicciones. No importa por qué reímos, solo importa que vivimos para reír de nuevo. No miedo *¿Es esto libertad?*

Estos son nuestros métodos de supervivencia, notas de amor, señales de humo y testimonios. Como las palabras de June Jordan, nos recuerdan atendernos unos a otros. Tara es para siempre mi hermana y también, para mí, una encarnación del espíritu de Jordan. El espíritu de la solidaridad valiente. June Jordan nos advierte de amar y vivir diligentemente, de lo contrario sucumbimos a la indiferencia. Si no permanecemos juntos en contra de los horrendos crímenes contra la humanidad, en nuestra orilla y en el extranjero, nos hacemos cómplices del sufrimiento de los demás. Así es como hemos sobrevivido lo que no se puede sobrevivir. Las mujeres damos testimonio y elaboramos estrategias para la liberación en la medida en que nos acercamos unas a otras, una hermandad. El hogar no es una destinación. Nos movemos hacia adelante y hacia atrás entre aquí y el horizonte. El hogar está a la deriva entre aquí y allá. El hogar es la calma entre nosotras que asusta a una tormenta.

AJA MONET es una poeta estadounidense, actriz y activista, descendiente de cubanos y jamaiquinos de Brooklyn, Nueva York. En 2007 a los 19 años fue la poeta más joven en llegar a ser la ganadora del *Nuyorican Poets Café Grand Slam*. En 2014 ganó el *One to Watch Award del YWCA* de la ciudad de Nueva York. Su más reciente libro de poesía es *Inner-City Chants & Cyborg Cyphers*.

AGRADECIMIENTOS

Se necesitó de una aldea global y de mucho amor para producir *Cuando las mujeres se atreven*. Primero y ante todo, me gustaría agradecer a las veintiocho mujeres que contribuyeron. Ustedes hicieron a un lado sus propios proyectos, para honrar a las mujeres que las inspiraron, y por esto estoy agradecida.

Quisiera también agradecer a todo el equipo de *Nobel Women's Initiative* y a las ganadoras del Premio Nobel de Paz que trabajaron juntas bajo su bandera: Jody Williams, Shirin Ebadi, Mairead Maguire, Leymah Gbowee, Rigoberta Menchú Tum y Tawakkol Karman. Sin el apoyo de todas y cada una de ustedes, este libro no existiría. Estoy particularmente agradecida con Liz Berstein, quien nunca deja de apoyar mis ideas, y cuya amistad y liderazgo me reta a hacer mejor mi trabajo. Jody Williams me regaló el tiempo para trabajar en el libro, animándome desde el banquillo y lanzándose a corregir. Las sabias palabras de Leymah Gbowee inspiraron el título del libro.

El financiamiento fue posible gracias a la visión y a la generosidad del círculo de seguidores de *Nobel Women's Initiative,* y de un grupo de mujeres que invirtieron en otras mujeres. Quiero agradecer especialmente a Sarah Cavahaugh, que inmediatamente captó el concepto, y a Cynda Collins Arsenault, quien apoyó discretamente el proyecto en los momentos críticos. También quiero agradecer a Marci Shimoff por sus sabios consejos, y a Nancy Word, Lauren Embrey, Melissa and Danny Giovale, Amanda Stuermer, Carolyn Buck Luce, Lynne Dobson, Elizabeth Fisher, Kaye Foster, Margot Pritzker, Marcia Wieder y Linne Twist por animar nuestro trabajo.

Un dedicado equipo trabajó duro para hacer realidad una

idea. Ashley Armstrong ha sido mi cómplice casi desde el principio, defendiendo el concepto, identificando potenciales contribuidores y realizando una investigación exhaustiva en todo, desde la publicación hasta la promoción. Ha sido una caja de resonancia invaluable, y su talento creativo y pasión por el proyecto se ve en cada detalle de este libro —desde el título hasta las fotos maravillosas. Gracias por darme ánimo y por ser tan dedicada en contar historias que valen la pena.

Este libro también se benefició inmensamente del tacto y talento de Katherine Leyton, quien ayudó a darle forma y a editar muchos de los ensayos, y ofreció retroalimentación y asesoramiento. Carol Mithers ayudó con la escritura, la investigación y la edición, y desempeñó un papel importante en darle forma a los ensayos sobre Tawakkol Karman y Nawal El Saadawi. Marjorie Leach prestó su talento editorial y de investigación a los ensayos acerca de Natalya Estemoriva y Elizabeth Becker. Jennie Strickland aportó al proyecto su sentido del humor y su ojo de águila para detectar errores. Mark Fried contribuyó traduciendo los ensayos de Lydia Cacho y Laura Zúñiga Cáceres.

Del lado de la producción, estoy agradecida con Silvia Alfaro por aceptar publicar este libro, y por dirigir una pequeña editorial independiente. Un círculo de hermandad que incluyó a Rosella Chibambo, Susan Johnston, Rosemary Leach, Gauri Streenivasan y mi madre, Shelag O'Rourke, proporcionó un valioso aporte editorial y de diseño. Jith Paul contribuyó de manera generosa con su talento como editor de fotografías.

Mucha gente en el mundo del libro ofreció consejo y compartió su conocimiento. Lynn Franklin siempre contestó mis emails y me dio ánimo. Stuart Bernstein me conectó con los autores y proporcionó sugerencias invaluables. Nuestros agradecimientos a Jaclyn Friedman y Shari Graydon por compartir sus conocimientos.

The *International Women's Media Foundation* nos presentó a las periodistas Bopha Phorn y Anna Nemtsova a quienes agradecemos su colaboración entusiasta. Otras conexiones importantes con algunos de los autores fueron posibles a través de la amistad y de los esfuerzos de Elizabeth Moreau, Kelly Fish, Lisa VeneKlasen, Silvio Carrillo y Sheema Khan. También recibimos un apoyo importante de *Peace is Loud*.

Kimberly Mackenzie regresó de las trincheras de la maternidad con mucho entusiasmo para ayudar a promover el libro. Dos mujeres, ambas ex activistas voluntarias en *Nobel Women's Initiative* desempeñaron un papel fundamental en momentos clave. Sara Walde trabajó en el libro en la primera fase, y Daniela Gunn-Doerge estuvo con nosotras en la última fase trabajando en la parte administrativa y editorial, y también consiguiendo fotografías.

Agradecemos a las siguientes personas y organizaciones por la donación de fotografías:

The Jane Goodall Institute
The Forgiveness Project
Cora Weiss
Louisa Lim
Elizabeth Becker
Niana Liu and Christine Ahn
Helen Caldicott
Casey Camp-Horinek
Claude Truong Ngoc
Marcela Lagarde
Minou Tavárez Mirabal
Haydn Wheeler
Fiona Lloyd-Davies
Mairead Maguire
Ivan Suvanjieff y *PeaceJam*

De manera personal, quiero agradecer a JP Melville quien creyó en este trabajo y a Lina, Zayne and Mazen, quienes con mucha paciencia han soportado un alto nivel de distracción materna y dulcemente me preguntaban "¿Cómo va el libro mami?".

Por último aunque no menos importante, gracias a ustedes, nuestros lectores, por compartir en todas partes las historias en estas páginas.

Rachel M. Vincent

CRÉDITOS DE LAS FOTOS

Berta Cáceres. Cortesía de Laura Zúñiga Cáceres
Betty Oyella Bigombe. © REUTERS/James Akena
Charlotte Mannya Maxeke. © London Stereoscopic Company/Hulton
Cora Weiss. Cortesía de Cora Weiss
Ding Zilin. © Louise Lim
Elizabeth Becker. Cortesía de Elizabeth Becker
Flora MacDonald. Material republicado con el consentimiento expreso
del *Ottawa Citizen, Postmedia Network Inc.*
Ginn Fourie. © *The Forgiveness Project* / Foto de Louisa Gubb
Gloria Steinem. © Niana Liu
Helen Caldicott. Cortesía de Helen Caldicott
Jane Addams. © *Bain News Service / Library of Congress, USA*
Jane Goodall. © Stuart Clark / *Jane Goodall Foundation*
Jewell Faye McDonald. Cortesía de Casey Camp-Horinek
Jody Williams. © D Legakis / *Alamy Stock Photo*
June Jordan. © Louise Bernikow
Latifa Ibn Ziaten. © Claude Truong Ngoc
Leymah Gbowee. © Pete Muller
Mairead Maguire. © REUTERS/Jim Bourg
Marcela Lagarde y de los Rios. Cortesía de Marcela Lagarde y de los Rios
Mirabal Sisters. Cortesía de Minou Tavárez Mirabal
Natalya Estemirova. © RIA Novosti/AFP
Nawal El Saadawi. © Haydn Wheeler
Rebecca Masika Katsuva. Cortesía de Fiona Lloyd-Davies
Rigoberta Menchú Tum. Cortesía de Ivan Suvanjieff / *PeaceJam*
Shannen Koostachin. Cortesía de Charles Dobie
Shirin Ebadi. © Rachel Corner
Tawakkol Karman. © AP Photo/Hani Mohammed
Wangari Maathai. © Evelyn Hockstein